Berliner Platz 1

NEU

Deutsch im Alltag

Intensivtrainer

von
Christiane Lemcke
Lutz Rohrmann

in Zusammenarbeit mit
Theo Scherling

Ernst Klett Sprachen

Stuttgart

Von Christiane Lemcke und Lutz Rohrmann
in Zusammenarbeit mit Theo Scherling

Gesamtkonzept und Layout: Andrea Pfeifer
Umschlaggestaltung: Svea Stoss, 4S_art direction
Coverfoto: Corbis GmbH, Düsseldorf; Abbildung Straßenschild: Sodapix AG
Illustrationen: Nikola Lainović

Materialien zu *Berliner Platz 1 NEU*:

Gesamtausgaben:	
Lehr- und Arbeitsbuch mit Audio-CD zum Arbeitsbuchteil	606025
Lehr- und Arbeitsbuch mit Audio-CD zum Arbeitsbuchteil und Zusatzteil „Im Alltag EXTRA"	606026
Lehr- und Arbeitsbuch mit Audio-CD zum Arbeitsbuchteil und Treffpunkt D-A-CH	606028
2 Audio-CDs zum Lehrbuchteil	606027
Ausgabe in Teilbänden:	
Lehr- und Arbeitsbuch, Teil 1	606065
1 Audio-CD zum Lehrbuchteil 1	606067
Lehr- und Arbeitsbuch, Teil 2	606066
1 Audio-CD zum Lehrbuchteil 2	606068
Zusatzkomponenten:	
Intensivtrainer 1	606029
Lehrerhandreichungen 1	606032
Testheft 1	606031
DVD 1	606030
Treffpunkt D-A-CH 1	606037
Digital mit Interaktiven Tafelbildern 1	606083

Symbole im Intensivtrainer:

nach 1 Nach der Bearbeitung von Aufgabe 1 im Lehrbuchteil können Sie diese Aufgabe(n) im Intensivtrainer bearbeiten.

Bei diesem Symbol finden Sie Hilfe unter der Übung.

1. Auflage 1 10 9 8 | 2019 18

Satz: Franzis print & media GmbH, München
Druck und Bindung: DRUCKEREI PLENK GmbH & Co. KG, Berchtesgaden
Printed in Germany

ISBN 978-3-12-606029-5

Berliner Platz 1 NEU

Intensivtrainer

Inhaltsverzeichnis

1 Hallo!

nach 1

1 Name und Ort

a Ergänzen Sie den Dialog.

- Gut____ T____. Ich b____ Olga.
- ○ Hallo, ich ____ße Carlos. Carlos Sánchez.
- Und wo____ kom____ S____?
- ○ I____ ko____e a____ Spanien.
- Und ich kom____ aus Russland, aus Moskau.

b Schreiben Sie Sätze.

1. mein / ist / Name / Korkmaz / Mehmet. Mein Name ____
2. heiße / ich / Yong-Min. ____
3. Sie / woher / kommen / ? ____
4. ich / aus / komme / Korea. ____
5. kommst / woher / du / ? ____
6. wie / du / heißt / ? ____

c Markieren Sie und schreiben Sie die Sätze.

1. hallo/ichbinmagdalenakowalskaichkommeauspolen

   Hallo ____

2. gutentagmeinnameistsabinewohlfahrtichbinihrelehrerin

   Guten ____

3. wieheißtduundwoherkommstdu?

   ____

4. ichheißecarlosundichkommeausspanienausvalencia

   ____

5. woherkommensieundwieheißensie?

   ____

nach 5

2 Zwei Dialoge
a Schreiben Sie die Dialoge.

Dialog 1

Woher kommst du?
Wie bitte?
~~Tag, ich bin Timo.~~
Ich komme aus Spanien.
Hallo, ich heiße Silvia.
Ich bin Silvia.

Dialog 2

Guten Tag, ich bin Sarah Bernd.
Hans Schröder, ich komme aus Berlin.
Guten Tag, Frau Bernd.
~~Guten Tag, mein Name ist Schröder.~~
Entschuldigung, wie heißen Sie?

Dialog 1:
- ● *Tag, ich bin Timo.*
- ○ ______
- ● ______
- ○ ______
- ● ______
- ○ ______

Dialog 2:
- ● *Guten Tag, mein Name ist Schröder.*
- ○ ______
- ● ______
- ○ ______
- ● ______
- ○ ______

b Fragen und Antworten. Ergänzen Sie die Fragen und antworten Sie.

1. ______ heißt du? *Ich* ______
2. Woher ______ Sie? ______
3. Entschuldigung, wie ______ dein Name? ______
4. Und ______ kommst du? ______

c Verbposition – Schreiben Sie die Sätze mit den Verben.

~~heißen~~ • heißen • sein • kommen • kommen • kommen

1. Wie Sie bitte? *Wie heißen Sie bitte?*
2. Entschuldigung, wie du? ______
3. Ich aus Spanien, und du? ______
4. Woher du? ______
5. Mein Name Svoboda. ______
6. Entschuldigung, woher Sie? ______

3 Andere vorstellen

a Was ist richtig? Markieren Sie wie im Beispiel.

1. Er	spricht	England / Mehmet / Schwedisch.
2. Das	ist	Familienname / Adam Svoboda / aus Polen.
3. Ich	komme	Estland / aus der Türkei / in Berlin.
4. Sie	heißt	Teilnehmer / Olga / Frau.
5. Die Stadt	liegt	Türkei / in Korea / Arabisch.
6. Sie	spricht	Bratislava / Französisch / Russland.
7. Er	kommt	aus Tunis / Frankreich / Türkei.

b Länder und Sprachen – Ordnen Sie zu und ergänzen Sie die Sprache oder das Land.

~~England~~ • ~~Russisch~~ • Tschechien • Schweden • Französisch • Korea • Marokko • Österreich • Slowakei • Tunesien • Spanisch • Türkei • Brasilien • Portugal

Länder	Sprachen	Länder	Sprachen
England	*Englisch*	___	*Russisch*
___	___	___	___
___	___	___	___
___	___	___	___
___	___	___	___
___	___	___	___
___	___	___	___

c *Mein Name ist …* – Ergänzen Sie den Text.

Mein Na*m* *e* ist Ali Kahn. Ali i___ ___ mein Vor___ ___ ___ ___ un___ Kahn ist mein ___ ___ ___ ___name. Ich spre___ ___ ___ Arab___ ___ ___ ___ und ___ ___ ___ ___ ___ösisch. Ich komme ___ ___ ___ Tunesien, ___ ___ ___ Tunis. Ich ___ ___ ___ ___ ___ in Berlin und bin im Deutsch___ ___ ___ ___ A1. Die ___ ___ ___sleiterin h___ ___ ___ ___ Maria Blasig und der Kurslei___ ___ ___ ist Herr Wüppen-Schneider.

d Wie viele Sätze? – Schreiben Sie.

wo liegt • er kommt • und wer • sie spricht • ich heiße • woher kommen • Sie • in München • das ist • Olga Minakova • Französisch • mein Vorname • mein Familienname ist • ist Adam • Svoboda • ist das • woher kommst • du • aus Kiew • aus Valencia • das ist • das • sie wohnt • Maria • in Spanien

Ich heiße Olga Minakova.

e Verbformen – Ergänzen Sie die Endungen.

1. er komm___
2. du sprich___
3. Sie heiß___
4. sie sprich___
5. ich komm___
6. sie buchstabier___/___
7. ich sprech___
8. das lieg___
9. du heiß___
10. ich heiß___
11. Sie sprech___

nach **10**

4 Wörter ordnen – Notieren Sie.

BUCHSTABIEREN • VORNAME • WIE • ER • LAND • KOMMEN • VORSTELLEN • NEIN • MACHEN • NAME • SATZ • SCHREIBEN • SPRECHEN • SIE • WORT • ZAHL • BITTE • STADT • ENTSCHULDIGUNG • WOHER • WOHNEN • RUSSISCH • LEHRER • WIR • LIEGEN • HEISSEN • ICH • WO

Nomen	Verben	Andere Wörter

Die Wortschatz-Hitparade

Nomen

der Alltag *Sg.* ______________________

das Alphabet, -e ______________________

die Antwort, -en ______________________

das Beispiel, -e ______________________

der Beruf, -e ______________________

das Deutsch *Sg.* ______________________

die Entschuldigung, -en ______________________

der Familienname, -en ______________________

die Frage, -en ______________________

die Frau, -en ______________________

der Herr, -en ______________________

der Kurs, -e ______________________

der Kursleiter, – ______________________

die Kursleiterin, –nen ______________________

das Land, ''-er ______________________

die Leute *Pl.* ______________________

der Nachbar, -n ______________________

die Nachbarin, -nen ______________________

der Name, -n ______________________

die Person, -en ______________________

der Satz, ''-e ______________________

die Sprache, -n ______________________

die Stadt, ''-e ______________________

der Vorname, -n ______________________

Verben

antworten ______________________

begrüßen ______________________

buchstabieren ______________________

fragen ______________________

haben ______________________

heißen ______________________

hören ______________________

kommen ______________________

lernen ______________________

lesen ______________________

machen ______________________

schreiben ______________________

sein ______________________

sprechen ______________________

(sich) verabschieden ______________________

verstehen ______________________

(sich) vorstellen ______________________

wohnen ______________________

Andere Wörter

Auf Wiedersehen ______________________

bitte ______________________

Hallo! ______________________

man ______________________

nein ______________________

oder ______________________

aus ______________________

in ______________________

und ______________________

was ______________________

wer ______________________

wie ______________________

wo ______________________

woher ______________________

5 **Wörter thematisch – Sammeln Sie Wörter. Die Wortschatz-Hitparade hilft.**

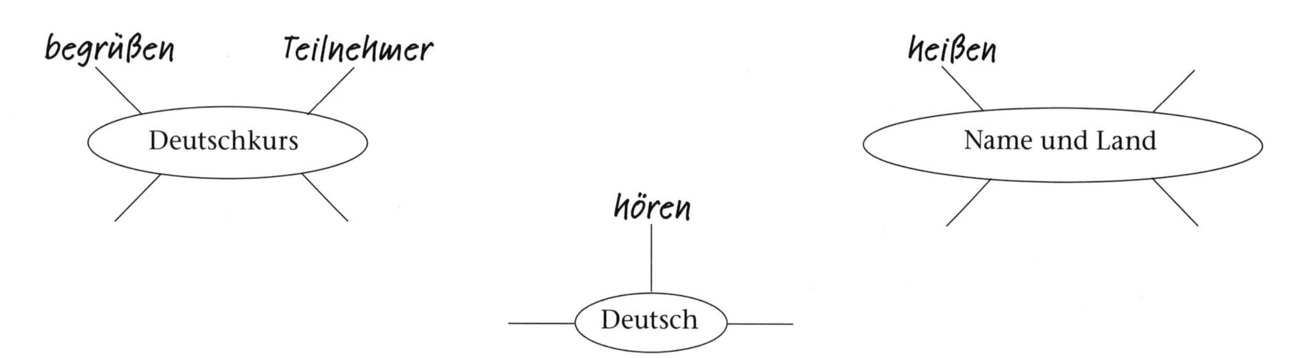

6 **Wichtige Wörter und Sätze – Schreiben Sie in Ihrer Sprache.**

Deutsch:	Ihre Sprache:
Wie?	______
Wie heißen Sie?	______
Wie heißt du?	______
Woher?	______
Woher kommen Sie?	______
Woher kommst du?	______
Ich spreche ...	______

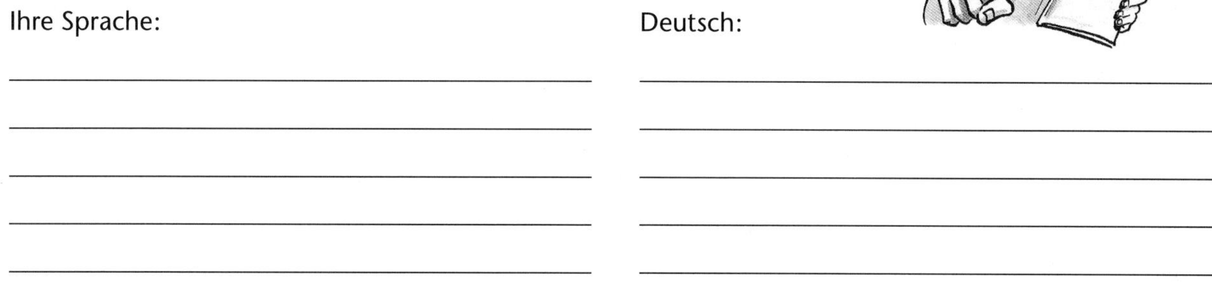

7 **Wichtige Wörter und Sätze für Sie – Schreiben Sie.**

Ihre Sprache:	Deutsch:
______	______
______	______
______	______
______	______
______	______

8 **Ich über mich**
Ergänzen Sie.

Ihre Sprache:	Deutsch:
______	Ich heiße ______
______	Mein Vorname ist ______
______	Mein Familienname ist ______
______	Ich komme aus ______
______	Ich spreche ______

2 Wie geht's?

nach 2

1 Fragen und Antworten

a Ergänzen Sie 1–5.

Wie geht's?

☺☺ S*uper*________. ☺ ________, ________. 😐 E___ g________

☹ N________ s___ g________.

b Schreiben Sie die Fragen und die Antworten ins Heft.

1. ● wiegehtesihnen? ○ esgeht,undihnen?
2. ● gutentagherrsánchez. ○ gutentagfraukim.
3. ● wiegeht'sdirmônica? ○ nichtsogut.

● *Wie geht es Ihnen?*
○ ...

nach 3

2 Dialog – Ergänzen Sie.

● Gut_____ T_____, w_____ ge_____ es Ihn_____?
○ Dan_____, g_____. U_____ Ihn_____?
● Trink_____ S_____ Kaff_____?
○ Ne_____, lieb_____ T_____.
● Nehm_____ S_____ Mil_____?
○ Ja, ge_____. U_____ S_____?
● I_____ neh_____ Mil_____ u_____ Zuck_____.

nach 4

3 Ja/Nein-Fragen – Schreiben Sie.

1. Romano / Heißen / Sie / ? *Heißen Sie Romano?*
2. aus / Kommen / Italien / Sie / ? ________________
3. Milch / Nehmen / und / Sie / Zucker / ? ________________
4. Kaffee / Möchtest / Tee / ? / oder / du ________________
5. du / Bist / Yong-Min / ? ________________
6. Tee / du / Trinkst / ? ________________
7. Englisch / du / Sprichst / ? ________________

nach 7

4 Verbformen

a Wie heißen die Verbformen? Schreiben Sie ins Heft.

~~trin~~ nen kom ~~ken~~ ha lie
spre ten men hö
möch ßen hei sen woh
gen men le neh chen ren ben

b Markieren Sie und notieren Sie die Verben mit dem Personalpronomen (*ich, du* ...).

seftrinkstkdjendknlebtdkhjgmachenoklderdredetdkotnderbindkdhslmöchtestkdhjgdjtrinkej

du trinkst ______________________________

difhwsksinddhfmaedersmachekjhfmhörensjdhdkslnotierendkdhjskdkarbeitetjdksldkjwohne

____

dlscnenresprichstkdlwndklkommtkdlfkdjsknehmennominkommstkdjslkideistldkehslseider

____

c Ergänzen Sie die Verben.

bin • möchte • nehme • nehmen • sind • spricht • sprechen • ~~trinkst~~ • wohne • wohnst

1. Trinkst ________ du Kaffee?
2. ________ Sie Milch?
3. Ich ________ nur Zucker.
4. Ich ________ in der Mainstraße.
5. ________ Sie Deutsch?
6. Ja, ich ________ aus Rom.
7. ________ er Deutsch?
8. Ich ________ Orangensaft, bitte.
9. ________ Sie aus Italien?
10. ________ du in Berlin?

d Ein Dialog – Ergänzen Sie die Verbformen.

Dialog 1

Kasimir: Hallo, ________ hier frei? (sein)
Carlos: Ja, klar. Das ________ Beata und Maria. (sein)
Kasimir: Hallo. Ich ________ Kasimir. (heißen)
________ ihr im Deutschkurs B? (sein)
Maria: Nein, wir ________ im Kurs C. (sein)
Kasimir: Und was ________ ihr in Deutschland? (machen)
Maria: Deutsch lernen! Wir ________ Au-pair-Mädchen. (sein)
Carlos: Toll, dann ________ ihr viel Deutsch zu Hause. (sprechen)

Dialog 2

Kasimir: Woher ______________ ihr? (kommen)

Beata: Aus Polen. Wir ______________ aus Warschau. (kommen) Und ihr?

Carlos: Ich ______________ aus Spanien, aus Valencia. (kommen)
Und Kasimir ______________ aus der Ukraine. (kommen)

Kasimir: Ja, aus Kiew. Was ______________ ihr trinken? (möchten)
______________ ihr Tee? (trinken)

Beata: Ich ______________ lieber Mineralwasser. (nehmen)
Was ______________ du, Maria? (trinken)

Maria: Kaffee natürlich. Mit viel Milch und Zucker bitte.

e Personalpronomen und Verbendungen – Ergänzen Sie.

du (hör/st) • ich (trink/___) • wir (nehm/___) • ___/___/___/___ (trink/t) •

sie (nimm/___) • ___ (möcht/et) • ___ (sprich/st) • ___/___/sie/___ (wohn/t) •

ihr (komm/___) • ___/___/___ (arbeit/en) • er/___/___/___ (leb/t) • wir (lern/___) •

___ (mach/st) • ___/___/___ (ist) • wir (hör/___) • ___/___/___ (heiß/t) •

wir/___/___ (komm/___) • ___/___/___ (sind) • ich (nehm/___) • ihr (sprech/___) •

___/___/___ (komm/en) • ___ (sprech/e) • ___ (trink/st) • wir (nehm/___) •

nach **8**

5 Null bis zwölf

a Schreiben Sie die Zahlen zu den Ziffern.

1 *eins* ______ 2 ______ 3 ______ 4 ______ 5 ______ 6 ______
7 ______ 8 ______ 9 ______ 10 ______ 11 ______ 12 ______

b In jeder Sprechblase sind zwei Zahlen falsch. Markieren Sie sie.

1. 0176 / 88 57 85 — *null eins sechs sechs acht acht sechs sieben acht fünf*
2. 0175 / 46 65 79 — *null zwei sieben fünf vier sechs sechs fünf sieben drei*
3. 0158 / 3 48 56 27 — *null eins sieben acht drei vier acht fünf sechs drei sieben*
4. 0138 / 9 71 58 24 — *null eins zwei acht neun sieben eins fünf acht eins vier*

nach 9

6 W-Fragen wiederholen

a Ergänzen Sie die Fragewörter.

1. *Wie* ________ ist deine Adresse?
2. ________ wohnst du?
3. ________ ist deine Telefonnummer?
4. ________ kommst du?
5. ________ geht es dir?
6. ________ trinkst du?

b Schreiben Sie die Sätze in der Sie-Form ins Heft.

Wie ist Ihre Adresse?

nach 11

7 Zahlen von 13 bis 200

a Zahlen – Schreiben Sie wie im Beispiel.

13 *eins / drei – dreizehn*
24 ________
57 ________
136 ________
287 ________
130 ________
217 ________
499 ________

b Rechnen und schreiben Sie.

1. sechsundzwanzig + siebzehn = *43 / dreiundvierzig*
2. neunzehn + zweiundzwanzig = ________
3. vierzig + dreiunddreißig = ________
4. neunundsechzig + elf = ________

c An der Kasse – Ordnen Sie die Dialoge.

Dialog 1

– Danke.
– Zwei Espresso und ein Wasser – das macht vier Euro achtzig.
– Hier bitte, vier Euro. Ist o. k. so.
– Oh, Entschuldigung, drei Euro achtzig.
– Wie viel?

• Zwei Espresso

Dialog 2

– Das sind ein Mineralwasser, ein Kaffee, ein Tee und zwei Espresso.
– Zwei, vier, sechs … fünfzig … Mist! Hast du 30 Cent?
– Sechs Euro achtzig.

Die Wortschatz-Hitparade

Nomen

die Adresse, -n ______
die E-Mail-Adresse, -n ______
das Café, -s ______
das Getränk, -e ______
der Kaffee, -s ______
die Kasse, -n ______
der Lehrer, – ______
die Lehrerin, –nen ______
die Milch *Sg.* ______
das Mineralwasser, – ______
die Nummer, -n ______
die Postleitzahl, -en ______
der Student, -en ______
die Studentin, -nen ______
die Stunde, -n ______
der Saft, "-e ______
der Tee *Sg.* ______
das Telefon, -e ______
die Telefonnummer, -n ______
die Vorwahl, -en ______
das Wasser *Sg.* ______
das Wochenende, -n ______
das Wort, "-er ______
der Zucker *Sg.* ______

Verben

anrufen ______
arbeiten ______
erreichen ______
fahren ______
gehen ______
können ______
kosten ______
markieren ______
nehmen ______
sagen ______
trinken ______

Adjektive

frei ______
gut ______
müde ______
richtig ______
schwarz ______
sehr gut ______
super ______
toll ______

Andere Wörter

aber ______
danke ______
gern(e) / lieber ______
hier ______
bis ______
ja ______
jetzt ______
nicht ______
viel ______
von ______

8 Wörter thematisch – Sammeln Sie Wörter. Die Wortschatz-Hitparade hilft.

Getränk
trinken

Telefonnummer
Adresse

Was machen Sie im Deutschkurs? Schreiben Sie fünf Verben.

Ich *arbeite,* ______________________

9 Wichtige Wörter und Sätze – Schreiben Sie in Ihrer Sprache.

Wie geht es dir? ______________________
Wie geht es Ihnen? ______________________
Danke gut. ☺ ______________________
Es geht. 😐 ______________________
Schlecht. ☹ ______________________
Wie ist deine/Ihre Adresse? ______________________
Hast du Telefon? ______________________
Haben Sie eine Handynummer? ______________________
Was trinkst du? ______________________
Möchten Sie Tee mit Milch? ______________________
Was kostet das? ______________________

10 Wichtige Wörter und Sätze für Sie – Schreiben Sie.

Ihre Sprache:	Deutsch:
______________	______________
______________	______________
______________	______________
______________	______________
______________	______________

11 Ich über mich
Ergänzen Sie.

Telefon: ______________ Handy: ______________ E-Mail-Adresse: ______________
Mein Adresse: ______________________
Ich trinke gern ______________________

3 Was kostet das?

nach 3

1 Nomen und Artikel

a Markieren Sie und notieren Sie die Nomen mit dem Artikel.

S	C	H	E	R	E	C	O	M	P	U	T	E	R
S	D	S	T	U	H	L	F	A	H	R	R	A	D
Ö	K	U	L	I	T	I	S	C	H	H	E	R	D
B	V	D	D	E	K	C	L	H	A	N	D	Y	N
L	K	I	N	D	E	R	W	A	G	E	N	Ä	Ö
P	K	G	G	X	B	L	E	I	S	T	I	F	T
P	P	Y	M	D	R	U	C	K	E	R	W	H	H
V	W	A	S	C	H	M	A	S	C	H	I	N	E
D	Q	U	K	L	A	M	P	E	A	U	T	O	A
K	A	F	F	E	E	M	A	S	C	H	I	N	E
K	Ü	H	L	S	C	H	R	A	N	K	N	L	U
W	W	P	S	T	A	U	B	S	A	U	G	E	R
B	Ü	G	E	L	E	I	S	E	N	H	E	F	T
T	Y	F	E	R	N	S	E	H	E	R	U	I	B

die Schere

b Ergänzen Sie den Dialog.

- ● Was kos___ ___ ___ der Fern___ ___ ___ ___ ___?
- ○ 45 Euro. Er i___ ___ fast n___ ___.
- ● Das i___ ___ teuer. Er i___ ___ sehr kl___ ___ ___.
  Und was kostet d___ ___ Monitor?
- ○ 20 Eu___ ___.
- ● Das i___ ___ billig. Funkti___ ___ ___ ___ ___ ___ er?
- ○ Natürlich!

c Schreiben Sie Sätze.

1. die Kaffeemaschine / kaputt / sein — *Die Kaffeemaschine ist kaputt.*
2. der Drucker / acht Euro / kosten
3. möchten / was / Sie / ?
4. sehr teuer / das Handy / sein
5. die Handynummer / sein / wie / ?
6. Telefon / du / haben / ?
7. das Bügeleisen / du / nehmen / ?

nach **4**

2 Zahlen und Preise

a Schreiben Sie die Zahlen.

86	achtzig/und/sechs	*sechsundachtzig*
38	acht/dreißig/und	
94	und/vier/neunzig	
199	neun/und/ein/ neunzig/hundert	
364	sechzig/und/ hundert/drei/vier	
207	zwei/hundert/sieben	
509	neun/fünf/hundert	
822	zwanzig/acht/und/ hundert/zwei	
1012	tausend/ein/zwölf	
2376	zwei/siebzig/und/hundert/ drei/tausend/sechs	
4981	neun/achtzig/ein/vier/ tausend/und/hundert	

b Preise – Markieren Sie die Wortgrenzen und schreiben Sie wie im Beispiel.

einhundertvierzehn/euro/und/zehn/cent/achtundneunzigeuroundsiebenundsiebzigcentfünfunddreißigeuroundzweiundneunzigcenthundertzwanzigeuroundsechsundfünfzigcent

sechzehneuroundsechsundsechzigcentzweihundertfünfzehneurounddreiunddreißigcentvierundachtzigeuroundzwölfcentfünfzehneuroundneunundsiebzigcent

114,10 – einhundertvierzehn Euro und zehn Cent

c Preisliste – Schreiben Sie.

Kaffee/Tee	1,60 €
Espresso	1,20 €
Cappuccino	1,80 €
Cola/Fanta	1,30 €
Wasser	1,20 €
Orangensaft	1,50 €
Apfelsaft	1,40 €
Milch	0,90 €

eins sechzig / ein Euro und sechzig Cent
____
____
____
____
____
____
____

nach **6**

3 Mein/e, dein/e

a ***der/das/die, ein/e, kein/e, mein/e*** **– Ergänzen Sie.**

der/ein/kein/mein/dein	Kuli	die/eine/keine/meine/deine	Vase
________	Auto	________	Heft
________	Nähmaschine	________	Schere
________	Fernseher	________	Radio
________	Staubsauger	________	Wasser
________	CD	________	Lehrerin
________	Kursraum	________	Adresse
________	Computer	________	Name
________	Postleitzahl	________	Wörterbuch
________	Nummer	________	Telefon

b ***ein/e, kein/e, mein/e, dein/e*** **– Ergänzen Sie.**

1. Ist das Orangensaft?
   Nein, das ist kein Orangensaft, das ist eine Fanta.
2. Ist das e________ Euro?
   Nein, das ist k________ Euro, das ist e________ Cent.
3. Ist das d________ Cappuccino?
   Ja, das ist m________ Cappucino.
4. Ist das d________ Bibliothek?
   Ja, das ist m________ Bibliothek.
5. Ist das d________ Telefonnummer?
   Nein, das ist m________ Postleitzahl.

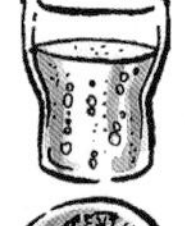

⑤ 69121 Heidelberg

nach 9

4 Kaufen und verkaufen

a Ergänzen Sie.

- ● Ist d___ ___ eine Kaffe___ ___ ___ ___ ___ ___ oder ei___ ___ Teekanne?
- ○ D___ ___ ist ei___ ___ Kaffeekanne, ei___ ___ Thermoskanne.
- ● U___ ___ was kos___ ___ ___ sie?
- ○ Zw___ ___ ___ Euro.
- ● D___ ___ ist ab___ ___ sehr te___ ___ ___.
- ○ Sie i___ ___ neu.
- ● Neu? N___ ___ ___, ich za___ ___ ___ acht Eu___ ___.
- ○ Na g___ ___. Hier ist sie!

b Adjektive – Ergänzen Sie. Probleme? ↓

Das Fahrrad ist ______________

Das Auto ist ______________

Die Lampe ist ______________

Der Kuli ist ______________

Das Telefon ist ______________

Der Fernseher ist ______________

billig • teuer • kaputt • modern • praktisch • alt • modern • neu

c Schreiben Sie Sätze.

1. ein / ist / hier / Wörterbuch — *Hier ist ein Wörterbuch.*
2. billig / ist / das / aber ______________
3. Schere / und / die / nehme / Heft / das / ich ______________
4. funktioniert / super / sie ______________
5. ist / die / bestimmt / Waschmaschine / kaputt ______________
6. der / kostet / was / Staubsauger / ? ______________
7. 25 / kostet / Euro / zusammen / alles ______________

Die Wortschatz-Hitparade

Nomen

der Bleistift, -e ______________
die Brille, -n ______________
das Buch, "-er ______________
der Computer, – ______________
das Fahrrad, "-er ______________
der Fernseher, – ______________
der Gegenstand, "-e ______________
das Heft, -e ______________
der Kugelschreiber, – ______________
der Kühlschrank, "-e ______________
der Kunde, -n ______________
die Kundin, -nen ______________
der Preis, -e ______________
die Schere, -n ______________
der Schrank, "-e ______________
der Verkäufer, – ______________
die Verkäuferin, –nen ______________
das Wörterbuch, "-er ______________

Verben

brauchen ______________
einkaufen ______________
finden ______________
geben ______________
kaufen ______________
kosten ______________
schauen ______________
suchen ______________
verkaufen ______________
zahlen ______________

Adjektive

alt ______________
billig ______________
gebraucht ______________
kaputt ______________
kurz ______________
lang ______________
modern ______________
neu ______________
praktisch ______________
preiswert ______________
schön ______________
teuer ______________

Andere Wörter

alle ______________
heute ______________
immer ______________
je ______________
kein ______________
mehr ______________
prima ______________
sehr ______________
so ______________
wenig ______________

5 **Wörter thematisch – Was kennen Sie? Schreiben Sie Wörter zu den Gegenständen.**

6 **Wichtige Sätze und Ausdrücke – Schreiben Sie in Ihrer Sprache.**

Ist das ein Handy? ____________________

Funktioniert der Computer? ____________________

Wie viel kostet der Drucker? ____________________

Das ist (mir) zu teuer. ____________________

Ist der Fernseher neu? ____________________

Das brauche ich. ____________________

7 **Wichtige Wörter und Sätze für Sie – Schreiben Sie.**

Ihre Sprache:	Deutsch:

8 **Ich über mich**
Sie möchten etwas kaufen oder verkaufen.
Schreiben Sie eine Anzeige wie im Beispiel.

Von Kunde zu Kunde

Ich suche: ○ Ich verkaufe: ⊗

Kinderwagen, neu!
Billig!
Bitte nach 18 Uhr
anrufen.

Name, Vorname: Telefon: (07121) 67 89 41

Straße, Ort: Datum:

Diese Karte hat eine Gültigkeit von 4 Wochen laut Ausstellungsdatum. Danach wird die Karte von unserem Personal aussortiert.

Von Kunde zu Kunde

Ich suche: ○ Ich verkaufe: ○

Name, Vorname: Telefon:

Straße, Ort: Datum:

Diese Karte hat eine Gültigkeit von 4 Wochen laut Ausstellungsdatum. Danach wird die Karte von unserem Personal aussortiert.

4 Wie spät ist es?

nach 1

1 Ein Tag

a Ergänzen Sie die Verben.

gehe ... weg • arbeite • ~~stehe ... auf~~ • spiele • sehen ... fern • frühstücken • hat • bringt • bringe

1. Ich *stehe*__________ schon um Viertel vor sieben *auf*__________.
2. Ich __________ meinen Sohn zur Schule.
3. Meine Tochter und ich __________ zusammen.
4. Meine Tochter __________ um acht Uhr Schule.
5. Ich __________ zu Hause.
6. Ich __________ um neun Uhr __________.
7. Abends __________ ich noch ein bisschen mit Lea.
8. Nach dem Abendessen __________ wir ein bisschen __________.
9. Mein Abendessen __________ der Pizzaservice.

b Ergänzen Sie den Text. Bei jedem zweiten Wort fehlt die Hälfte.

Ich gehe schon um Viertel nach sie___ ___ ___ weg. Me___ ___ Mann u___ ___ mein So___ ___ gehen um ha___ ___ acht. Me___ ___ Sohn ma___ ___ ___ ein Prak___ ___ ___ ___ ___ und me___ ___ Mann ge___ ___ zur Arb___ ___ ___. Meine Toc___ ___ ___ ___ hat um ac___ ___ Uhr Sch___ ___ ___. Ich b___ ___ um 16 U___ ___ zu Ha___ ___ ___. Mein Ma___ ___ kommt um 18 U___ ___. Nach d___ ___ Abendessen spi___ ___ ___ ___ wir Kar___ ___ ___ oder w___ ___ sehen fern.

nach 2

2 Wie spät ist es? – Ordnen Sie die Uhrzeiten den Uhren zu.

1.  ☐
2.  ☐
3.  ☐
4.  ☐
5.  ☐
6.  ☐
7.  ☐
8.  ☐

a) Es ist halb eins.
b) Es ist halb zwölf
c) Es ist Viertel vor neun.
d) Es ist Viertel nach sieben.
e) Es ist zehn nach elf.
f) Es ist zwanzig vor drei.
g) Es ist fünf vor halb sechs.
h) Es ist fünf nach halb acht.

nach 4

3 Verbformen: trennbare Verben

a Ergänzen Sie die Tabelle.

	aufstehen	anfangen	fernsehen	einkaufen	aufmachen
ich	stehe auf				
du					
er/es/sie					
wir					
ihr					
sie/Sie					

b Schreiben Sie die Fragen und markieren Sie die Verben.

1. kauft / Herr Hansen / wann / ein / ? Wann kauft Herr Hansen ein?
2. jeden Morgen / auf / wer / um sechs Uhr / steht / ? __________
3. Deutschkurs / wann / der / fängt / an / ? __________
4. macht / der Supermarkt / zu / wann / ? __________
5. kauft / ein / für das Essen / wann / Petra / ? __________
6. macht / um / die Cafeteria / wie viel Uhr / auf / ? __________
7. du / wo / für das Abendessen / kaufst / ein / ? __________
8. wie lange / Sie / abends / fern / sehen / ? __________

nach 7

4 *Wann …? Wie lange …?* Fragen und Antworten – Ordnen Sie zu.

1. Wie viel Uhr ist es?	____	a) Von 8 bis 17 Uhr.
2. Wann ist der Film zu Ende?	____	b) Ja, heute Nachmittag.
3. Wie lange frühstückst du?	____	c) Kurz vor zehn.
4. Kaufst du für das Abendessen ein?	____	d) Ungefähr 25 Minuten.
5. Von wann bis wann arbeitest du?	____	e) Ja, oder samstags.
6. Wie viele Stunden arbeitest du am Tag?	____	f) Nein, da höre ich nur Radio.
7. Ist die Cafeteria schon auf?	____	g) Nein, sie macht erst um neun auf.
8. Siehst du morgens fern?	____	h) Acht Stunden.
9. Kaufst du immer nach der Arbeit ein?	____	i) Um halb elf.

nach 9

5 Kommst du mit?

a Schreiben Sie Sätze.

1. Wann / Supermarkt? / der / öffnet — *Wann öffnet der Supermarkt?*
2. Konzert? / dauert / das / Wie / lange ____________
3. das / zu / Ende? / Kino / ist / Wann ____________
4. übermorgen / du / Hast / Zeit? ____________
5. spät / es? / ist / Wie ____________
6. fünf / nach / ist / Es / zehn. / halb ____________
7. du? / kommst / viel / Um / Uhr / wie ____________
8. Kino / Uhr / Ende. / ist / Das / zu / gegen 18 ____________
9. Wie / Unterricht? / der / dauert / lange ____________
10. heute Abend / nach Hause? / kommst / Wann / du ____________
11. halb acht. / komme / Ich / um ____________
12. ins Schwimmbad? / gehen / Um wie viel Uhr / wir ____________

b Wiederholung Verben: du-Form und Sie-Form – Schreiben Sie.

Infinitiv	*du*-Form	*Sie*-Form
einkaufen	*du kaufst ein*	*Sie kaufen ein*
telefonieren		
verkaufen		
essen		
anfangen		
schlafen		
kochen		
frühstücken		
fahren		
zumachen		
sein		
aufstehen		
nehmen		
trinken		
sprechen		
mitkommen		
gehen		

c Die „Zeit" – Ergänzen Sie den Text. Probleme? ↓

So geht die Zeit!

Ein ____________ hat zwölf Monate.
Ein Monat hat vier ____________ und
eine ____________ sieben ____________.
Die Wochentage heißen ____________, ____________,
____________, ____________, ____________,
____________, ____________.
Ein ____________
hat 24
____
und eine Stunde hat 60 ____________.
Eine ____________ ist nach 60 ____________ zu Ende.
Der ____________ beginnt am ____________, dann kommt der ____________.
Um 12 Uhr ist ____________ und danach kommt der ____________.
Der ____________ beginnt
um 18 oder 20 ____________
und danach kommt die ____________.

Mittag • Sekunden • Minuten • Minute • Uhr • Nachmittag • Woche • Wochen • Jahr • Nacht • Abend • Tag • Tag • Tage
Morgen • Vormittag • Stunden • Montag • Samstag • Sonntag • Mittwoch • Freitag • Donnerstag • Dienstag

d Textschlange – Schreiben Sie den Text.

MEIN|WOCHENENDE|AM|SAMSTAGGEHEICHVORMITTAGSINSSCHWIMMBADUNDNACHMITTAGSINEINKONZERTAMABENDGEHEICHINSKINOUNDDANNINEINCAFÉAMSONNTAGMORGENSTEHEICHSPÄTAUFICHFRÜHSTÜCKEUM10UHRDANNLESEICHDIEZEITUNGUNDHÖREMUSIKAMNACHMITTAGGEHEICHINDENPARKAMABENDSEHEICHFERNUNDGEHEUMELFUHRINSBETT

Mein Wochenende: Am Samstag ____________
____
____
____
____
____
____
____

Die Wortschatz-Hitparade

Nomen

der Abend, -e ______
die Arbeit *Sg.* ______
die Bäckerei, -en ______
das Bad, "-er ______
das Brötchen, – ______
der Chef, -s ______
die Chefin, -nen ______
der Eintritt *Sg.* ______
das Ende *Sg.* ______
das Essen *Sg.* ______
der Film, -e ______
die Karte, -n ______
das Kino, -s ______
das Konzert, -e ______
der Mittag, -e ______
der Morgen, – ______
der Nachmittag, -e ______
der Park, -s ______
die Pause, -n ______
die Schule, -n ______
das Schwimmbad, "-er ______
der Tag, -e ______
der Unterricht *Sg.* ______
der Vormittag, -e ______
die Woche, -n ______
der Wochentag, -e ______
die Zeit, -en ______
die Zeitung, -en ______

Verben

anfangen ______
aufmachen ______
aufstehen ______
aufwachen ______
ausmachen ______
beginnen ______
duschen ______
einladen ______
einschlafen ______
frühstücken ______
sehen ______
(sich) verabreden ______
warten ______
zumachen ______

Andere Wörter

abends ______
danach ______
gerade ______
gestern ______
halb ______
heute ______
mittags ______
morgen ______
morgens ______
zehn nach ______
nachmittags ______
nachts ______
um zwölf ______
von ... bis ... ______
Viertel vor ______
vormittags ______

6 **Ein Tag: Was tun Sie? – Ergänzen Sie Wörter. Die Wortschatz-Hitparade hilft.**

aufwachen → ______ → ______ → ______ →
______ → ______ → ______ → ______

das Kino

Freizeitaktivitäten

7 **Wichtige Wörter und Sätze – Schreiben Sie in Ihrer Sprache.**

Wie viel Uhr ist es? ______
Es ist Viertel nach/vor zwölf. ______
Es ist halb eins. ______
Hast du heute Abend Zeit? ______
Ich habe leider keine Zeit. ______
Wann fängt der Film an? ______
Wie lange dauert das Konzert? ______
Wann ist der Unterricht zu Ende? ______
Von wann bis wann arbeitest du? ______
Kommst du mit ins Schwimmbad? ______

8 **Wichtige Wörter und Sätze für Sie – Schreiben Sie.**

Ihre Sprache: Deutsch:

9 **Ich über mich – Meine Woche. Notieren Sie drei Aktivitäten für jeden Tag.**

Montag	Dienstag	Mittwoch	Donnerstag	Freitag	Samstag/ Sonntag

5 Was darf's sein?

nach 2

1 Lebensmittel

a Im Suchrätsel sind 20 Wörter versteckt (→ und ↓). Markieren Sie und notieren Sie die Nomen mit dem Artikel.

N	M	N	W	L	B	U	T	T	E	R	T	F	H
G	I	S	S	A	F	T	D	R	E	I	S	L	P
P	L	J	B	Y	M	K	W	E	I	N	J	E	F
A	C	E	A	T	T	B	K	N	D	S	O	I	I
P	H	W	N	E	Z	R	A	Z	B	R	G	S	S
R	K	E	A	N	U	O	R	V	Q	Q	H	C	C
I	U	P	N	L	C	T	T	N	J	C	U	H	H
K	C	J	E	O	K	C	O	M	M	Q	R	W	S
A	H	F	P	J	E	T	F	R	F	I	T	U	A
A	E	V	Q	M	R	D	F	Y	P	X	S	R	L
P	N	Z	B	H	C	D	E	L	F	B	R	S	A
F	K	Ä	S	E	V	R	L	Z	D	G	V	T	T
E	P	L	F	W	S	C	H	I	N	K	E	N	I
L	R	D	X	N	B	R	Ö	T	C	H	E	N	P

die Kartoffel, ____________________

____

____

____

b Was passt nicht? – Markieren Sie.

1. Butter • Zucker • Marmelade • Kuchen
2. Paket • Glas • Flasche • Pfund
3. Joghurt • Milch • Zucker • Käse
4. Käse • Fleisch • Wurst • Schinken
5. Kartoffel • Paprika • Tomate • Banane
6. Kuchen • Fisch • Brot • Brötchen
7. Apfel • Tomate • Banane • Birne
8. Obst • Gemüse • Milchprodukte • Banane
9. Wasser • Wein • Glas • Milch
10. Pfund • Kilo • Kasten • Gramm

c Schreiben Sie Sätze ins Heft.

1. kaufst / Wo / ein / du / ?
2. kaufe / meine Lebensmittel / Ich / im Supermarkt / .
3. Peter / Wurst / kauft / in der Metzgerei / .
4. kauft / Brot / Brötchen / Frau Throm / beim Bäcker / und / .
5. ein / wir / im Supermarkt / Nach der Arbeit / kaufen / .
6. ein / kaufe / Am Wochenende / die Getränke / ich / .

Wo kaufst ...

nach 3

2 Packungen – Was passt nicht? Markieren Sie.

1. ein Glas • ein Kilo • ein Liter	Tomaten
2. ein Kasten • eine Flasche • ein Pfund	Apfelsaft
3. eine Dose • eine Packung • ein Kilo	Zucker
4. ein Pfund • 200 Gramm • eine Dose	Käse
5. ein Kilo • eine Flasche • ein Glas	Bier
6. 500 Gramm • eine Dose • eine Packung	Reis

nach 5

3 Was mögen Sie? – Ergänzen Sie die Formen von *mögen*.

● Ihr kommt aus Thailand. ______________ ihr auch Käse?

○ Käse und Brot ______________ wir nicht so sehr.
Wir essen viel Gemüse, Fleisch und Obst. Und du?
______________ du Käse?

● Ja, es geht. Am liebsten ______________ ich Wurst
und Schinken. Viele Kinder in Deutschland ______________
Nudeln sehr. Isst man in Thailand Nudeln?

○ Ja, Reis und Nudeln ______________ wir sehr gerne.

nach 6

4 Pluralformen

a Schreiben Sie die Nomen mit Artikel und Pluralform.

① 
der Apfel
die Äpfel

② ③  ④ 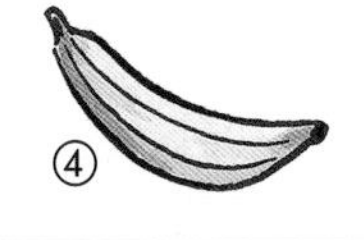 ⑤ 

⑥  ⑦ 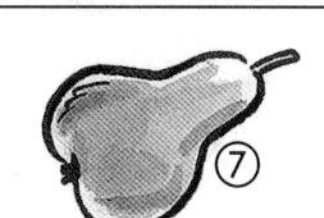 ⑧ 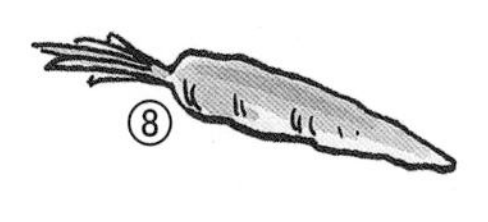 ⑨ 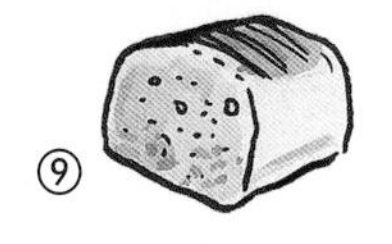 ⑩ 

⑪ 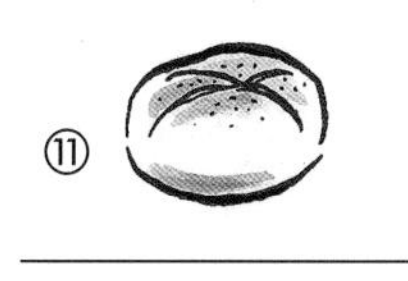 ⑫  ⑬ 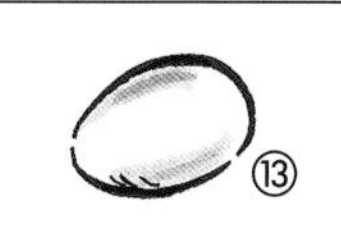 ⑭  ⑮ 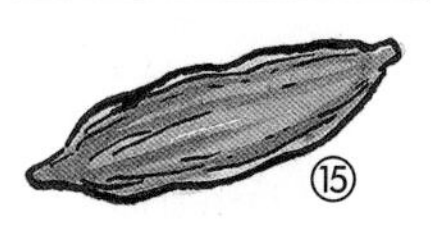

b *Was kosten ...?* Ergänzen Sie.

1. die Gurke • die Banane • die Birne • der Apfel • die Zwiebel

   Was kosten *die Gurken, die* ____________________

2. Glas Tomaten (3) • Packung Butter (2) • Ei (6) • Flasche Apfelsaft (2)

   Ich möchte bitte *drei Gläser Tomaten* ____________________

3. Liter Milch (2) • Gramm Schinken (500) • Dose Tomaten (2) • Brot (2)

   Wir brauchen heute ____________________

nach **12**

5 Ein Essen planen

a Ordnen Sie zu.

1. Was kosten denn die Mangos?	____	a) 9 Euro 35 bitte.
2. Ich nehme 400 Gramm Gouda-Käse.	____	b) Sechs Stück? Das sind gut drei Pfund.
3. Ich möchte bitte zwei Kilo Kartoffeln.	*1*	c) Die sind aus Malaysia. 2 Euro 50 das Stück.
4. Wie viel kostet das zusammen?	____	d) Gerne, sonst noch etwas?
5. Haben Sie auch Paprika?	____	e) In Scheiben oder am Stück?
6. Wie viel Gramm sind sechs Äpfel?	____	f) Nein, heute nicht.
7. Guten Tag.	____	g) Sie wünschen?

b Verben und Nomen – Was passt zusammen? Ordnen Sie zu.

trinken • suchen • kaufen • kochen • brauchen • machen • schneiden • zubereiten • vorbereiten • essen • schreiben • verkaufen • holen • nehmen

1. das Gemüse
2. die Vorspeise
3. die Brötchen
4. einen Einkaufszettel
5. Spaghetti
6. einen Kaffee

1. das Gemüse kaufen, kochen, brauchen, machen, schneiden, zubereiten, essen, verkaufen, holen, nehmen

c Akkusativ: *der/das/die* und *ein/kein* – Ergänzen Sie die Artikel.

Singular	Maskulinum	Neutrum	Femininum
Nominativ Das ist	*der / ein / kein* Apfel.	*das* / ___ / ___ Ei.	___ / ___ / ___ Birne.
Akkusativ Sie nimmt	*den* / ___ / ___ Pfirsich.	*das* / ___ / ___ Ei.	*die* / ___ / ___ Kiwi.
Plural	**Maskulinum**	**Neutrum**	**Femininum**
Nominativ Das sind	*die* / – / ___ Pfirsiche.	___ / – / ___ Eier.	___ / – / ___ Kiwis.
Akkusativ Sie nimmt	*die* / – / ___ Pfirsiche.	*die* / – / ___ Eier.	___ / – / ___ Kiwis.

d Drei Situationen – Ergänzen Sie die Artikel.

A In der Küche

Er macht __den__ (1) Salat und __einen__ (2) Nachtisch. Sie schneidet d__________ (3) Zwiebeln und e__________ (4) Gurke. Für den Salat brauchen sie noch e__________ (5) Tomate. Sie schneidet d__________ (6) Paprika und d__________ (7) Kartoffeln. Er sagt: Im Kühlschrank haben wir noch e__________ (8) Liter Milch, e__________ (9) Packung Butter und e__________ (10) Salami.

B Im Deutschkurs

Die Teilnehmer lesen e__________ (1) Text. Dann markieren sie d__________ (2) Artikel *der, das* und *die*. Sie machen e__________ (3) Übung zum Akkusativ. Bald schreiben sie e__________ (4) Test. Sie fragen d__________ (5) Lehrer oder d__________ (6) Lehrerin: Wie heißt die Akkusativform von *der*? Sie hören e__________ (7) Text und spielen e__________ (8) Dialog. Am Ende zeigt Frau Wohlfahrt e__________ (9) Szene von der DVD.

C Auf dem Flohmarkt

Adam verkauft e__________ (1) Monitor und e__________ (2) CD-Player. Carlos kauft __________ (3) Heft. Yong-Min sucht e__________ (4) Wörterbuch Deutsch-Koreanisch. Frau Wohlfahrt braucht e__________ (5) Papierkorb und e__________ (6) Nähmaschine. Mehmet möchte e__________ (7) Lampe, e__________ (8) Rasierapparat und e__________ (9) Kaffeemaschine kaufen. Olga verkauft e__________ (10) Fernseher und e__________ (11) Handy.

Die Wortschatz-Hitparade

Nomen

der Apfel, ¨–	__________	der Liter, –	__________
das Bier, -e	__________	das Mehl *Sg.*	__________
die Butter *Sg.*	__________	das Obst *Sg.*	__________
das Brot, -e	__________	das Öl, -e	__________
das Ei, -er	__________	das Päckchen, –	__________
der Fisch, -e	__________	das Paket, -e	__________
die Flasche, -n	__________	der Reis *Sg.*	__________
das Fleisch *Sg.*	__________	das Rezept, -e	__________
das Geld *Sg.*	__________	der Salat, -e	__________
das Gemüse, –	__________	das Salz *Sg.*	__________
das Gramm, -e	__________	der Schinken, –	__________
die Kartoffel, -n	__________	das Schnitzel, –	__________
der Käse *Sg.*	__________	die Soße, -n	__________
das Kilo(gramm), -s	__________	die Tüte, -n	__________
der Kuchen, –	__________	der Wein, -e	__________
der Laden, ¨–	__________	die Wurst, ¨-e	__________
das Lebensmittel, –	__________	die Zwiebel, -n	__________

Verben

bekommen	__________	mitbringen	__________
dürfen	__________	schneiden	__________
fehlen	__________	vergleichen	__________
holen	__________	waschen	__________
legen	__________	wünschen	__________

Adjektive

blau	__________	gelb	__________
braun	__________	grün	__________
dünn	__________	rot	__________
fein	__________	süß	__________

Andere Wörter

etwas	__________	zu viel	__________
nichts	__________	zu wenig	__________

6 Das mag ich / Das mag ich nicht – Notieren Sie die Lebensmittel.

Das mag ich: Das mag ich nicht:

7 Wichtige Sätze und Ausdrücke – Schreiben Sie in Ihrer Sprache.

Ich hätte gern ein Kilo Tomaten.
Haben Sie auch Joghurt?
Was kosten die Bohnen?
200 g Gouda in Scheiben bitte.
Was ist heute im Angebot?
Das war's.

8 Wichtige Wörter und Sätze für Sie – Schreiben Sie bitte.

Ihre Sprache: Deutsch:

9 Ich über mich

Das esse ich gerne …

zum Frühstück	zum Mittagessen	zum Abendessen

6 Familienleben

nach 1

1 Familienfotos

a Welche Wörter passen zusammen? Ergänzen Sie.

1. der Onkel ____________________
2. die Freundin ____________________
3. die Ehefrau ____________________
4. die Tochter ____________________
5. die Schwester ____________________
6. der Vater ____________________
7. der Mann ____________________
8. alleinstehend ____________________

die Mutter • der Bruder • verheiratet • die Tante • der Sohn • der Freund • der Ehemann • die Frau

b Ergänzen Sie die Sätze mit den passenden Wörtern.

Ausflug • Picknick • Haushalt • Geschwister • Familienfoto • schwer • langweilig • getrennt • lebe • mitnehmen • erziehe • zwischen

1. Am Sonntag machen wir oft ein ____________________ im Park.
2. Mein Sohn findet das ____________________. Er sieht lieber fern.
3. Mein Mann möchte immer sehr viel Essen in den Park ____________________.
4. Am Wochenende möchten wir einen ____________________ nach München machen.
5. Ich ____________________ in Augsburg, aber ich arbeite in Stuttgart.
6. Mein Mann und ich sind ____________________.
7. Ich ____________________ meinen Sohn allein.
8. Manchmal ist der Alltag sehr ____________________.
9. Die Arbeit, der Sohn und der ____________________ – das kostet viel Zeit.
10. Ich habe zwei ____________________, einen Bruder und eine Schwester.
11. Ist das dein ____________________? Ist das da rechts deine Oma?
12. In der Wohngemeinschaft sind alle ____________________ 71 und 89 Jahre alt.

nach 2

2 Wie groß ist Ihre Familie? – Ergänzen Sie die Fragen und ordnen Sie die Antworten zu.

Sind Sie • Wie alt ist • Wo wohnen • Hast du • Wie viele

1. ________________ Geschwister hast du? a) Drei Brüder und eine Schwester.
2. ________________ verheiratet? b) In Nairobi, in Kenia.
3. ________________ deine Eltern? c) Nein, ich bin ledig.
4. ________________ deine Schwester? d) Ja, einen Sohn.
5. ________________ Kinder? e) Sie ist 26.

nach 3

3 Possessivartikel

a Nominativ – Ergänzen Sie die Tabelle.

	der Bruder	**das** Kind	**die** Schwester	Plural: **die** Eltern
ich	mein ______ Bruder	______ Kind	meine ______ Schwester	______ Eltern
du	______ Bruder	______ Kind	______ Schwester	______ Eltern
er	______ Bruder	______ Kind	______ Schwester	______ Eltern
es	______ Bruder	______ Kind	______ Schwester	______ Eltern
sie	______ Bruder	______ Kind	______ Schwester	______ Eltern
wir	______ Bruder	______ Kind	______ Schwester	______ Eltern
ihr	______ Bruder	______ Kind	______ Schwester	______ Eltern
sie/Sie	______ Bruder	______ Kind	______ Schwester	______ Eltern

b Akkusativ Maskulinum Singular – Ergänzen Sie die Endungen.

1. Wir besuchen unsere____ Vater einmal im Monat. 2. Ich kenne deine____ Vater aus der Schule.

c Ergänzen Sie Possessivartikel im Nominativ oder Akkusativ.

1. Ich bin 32 Jahre alt, m______________ Bruder ist 28 und m______________ Schwester 24.
2. Tom mag s______________ Bruder sehr. Er ist Lehrer.
3. Silke heiratet am Wochenende i______________ Freund.
4. U______________ Oma ist 95 und u______________ Opa auch.
5. Ich möchte gern d______________ Vater und d______________ Mutter kennenlernen.
6. Leben e______________ Eltern noch?
7. Ich finde e______________ Bruder sehr nett. Wie alt ist er?
8. Rolf ist erst 16, aber s______________ Freundin ist 18.

nach 6

4 Datum – Monate – Jahreszeiten

a Schreiben Sie die Jahreszahlen

1776 *siebzehnhundertsechsundsiebzig*

1789 ______

1848 ______

1914 ______

1929 ______

1933 ______

1945 ______

1961 ______

1989 ______

2001 ______

2008 ______

b Lesen Sie die Jahreszahlen zuerst langsam und dann immer schneller.

c Berühmte Leute – Schreiben Sie die Daten und lesen Sie sie laut.

① Martin Luther 10. 11. 1483 — *Martin Luther ist am zehnten November vierzehnhundert-dreiundachtzig geboren.*

② J. W. von Goethe 28. 08. 1749 ______

③ W. A. Mozart 27. 01. 1756 ______

④ Otto von Bismarck 01. 04. 1815 ______

⑤ Sigmund Freud 06. 05. 1856 ______

⑥ Rosa Luxemburg 05. 03. 1871 ______

⑦ Gabriele Münter 19. 02. 1877 ______

⑧ Albert Einstein 14. 03. 1879 ______

d Ergänzen Sie das Bild.

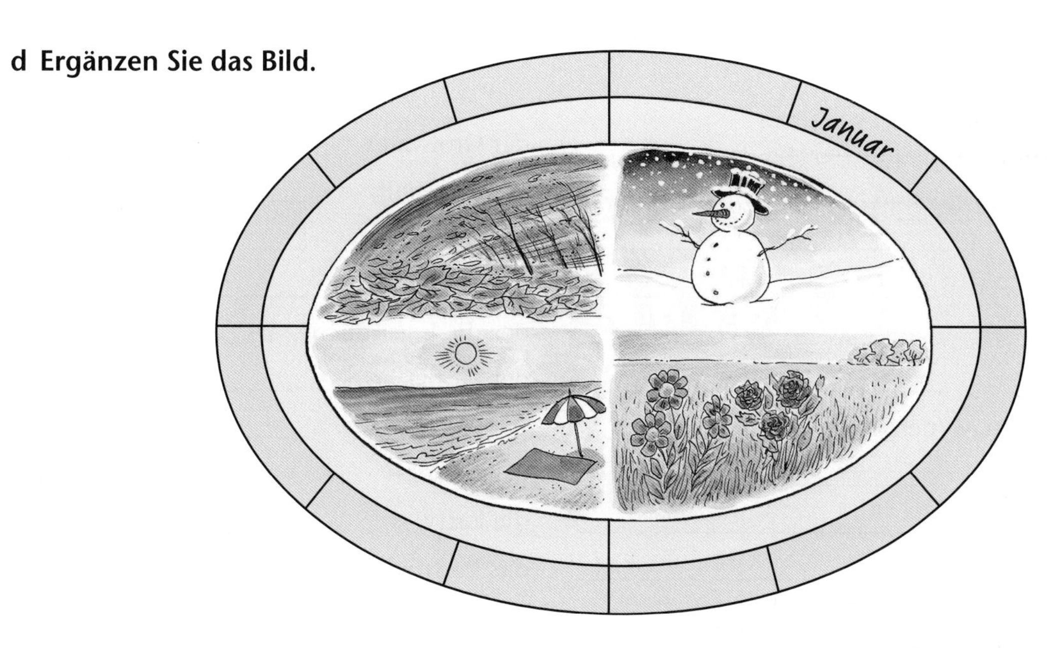

e Wann beginnen die Jahreszeiten in Ihrem Heimatland? Schreiben Sie in Ihr Heft.

Der Frühling beginnt am

nach 8

5 Die Vergangenheit von *haben* und *sein*

a Konjugation von *haben* und *sein* – Ergänzen Sie die Tabelle.

	haben – Präsens	haben – Präteritum	sein – Präsens	sein – Präteritum
ich	habe			
du				warst
er/es/sie				
wir			sind	
ihr		hattet		
sie/Sie				

b Ergänzen Sie *sein* und *haben* in der passenden Form.

1. Gestern ________ ich einkaufen. Ich ________ nichts mehr zu Hause.
2. ________ du heute Zeit? – Nein, heute ________ ich keine Zeit.
3. Morgen ________ mein Sohn Geburtstag.
4. Mein Fest ________ super. Aber heute ________ ich total kaputt.
5. Wann ________ ihr im Kino? – Gestern. Der Film ________ langweilig.
6. Wir ________ am dritten Mai in Köln. ________ ihr da Zeit für uns?
7. ________ du heute Geburtstag? – Nein, er ________ gestern.
8. ________ ihr heute Abend zu Hause? – Ja, wir ________ ab acht da.
9. ________ du schon mal in Berlin? – Nein, ich ________ noch keine Zeit.
10. Gestern ________ Tom bei mir. Er ________ Fotos von Berlin.

Die Wortschatz-Hitparade

Nomen

der Ausflug, ''-e ______
der Bruder, ''– ______
das Datum *Sg.* ______
der Ehemann, ''-er ______
die Einladung, -en ______
das Fest, -e ______
der/die Freund/in, -e/nen ______
der Frühling *Sg.* ______
der Geburtstag, -e ______
das Geschenk, -e ______
die Geschwister *Pl.* ______
die Gesundheit *Sg.* ______
das Glück *Sg.* ______
der Glückwunsch, ''-e ______
die Großeltern *Pl.* ______
die Großmutter, ''– ______
der Großvater, ''– ______
der Haushalt, -e ______
der Herbst *Sg.* ______
die Hochzeit, -en ______
der/die Jugendliche, -n ______
der Monat, -e ______
die Mutter, ''– ______
der Onkel, – ______
die Party, -s ______
das Picknick, -s ______
die Schwester, -n ______
der Sommer *Sg.* ______
die Tante, -n ______
der Vater, ''– ______
der/die Verwandte, -n ______
der Winter *Sg.* ______

Verben

aussehen ______
besuchen ______
erziehen ______
feiern ______
(sich) freuen ______
gratulieren ______
heiraten ______
leben ______
studieren ______
tanzen ______

Adjektive

geschieden ______
groß ______
herzlich ______
langweilig ______
ledig ______
schwer ______
tot ______
verheiratet ______

Andere Wörter

geboren ______
leider ______
manchmal ______
schade ______
später ______
vorgestern ______

6 Wörter thematisch – Welche Wörter und Ausdrücke passen?

Alles Gute!

Geburtstag

Datum

Familie

7 Wichtige Sätze und Ausdrücke – Schreiben Sie in Ihrer Sprache.

Meine Familie ist groß/klein. ______

Mein Sohn / Meine Tochter ist zwölf. ______

Ich habe einen Bruder und eine Schwester. ______

Bist du verheiratet? ______

Ich bin ledig/getrennt/geschieden. ______

Wann hast du Geburtstag? ______

Vielen Dank für die Einladung / das Geschenk. ______

8 Wichtige Wörter und Sätze für Sie – Schreiben Sie.

Ihre Sprache:	Deutsch:
______	______
______	______
______	______
______	______
______	______

9 Ich über mich
Ein Mensch, viele Rollen – Schreiben Sie wie im Beispiel.

Ich bin Sohn, Bruder, Vater, Ehemann, Freund, Kollege, Kunde, Lerner, Leser ...

______

7 Willkommen in Berlin!

nach 2

1 Berlin kennenlernen – Wiederholung: Akkusativ. Ergänzen Sie die Endungen.

1. Ich nehme ein–_____ Taxi / ein_____ Bus und besuche mein_____ Freundin / mein_____ Freund.
2. Ich kaufe ein_____ Stadtplan / ein_____ Ticket / ein_____ Monatskarte.
3. Wir machen ein_____ Stadtrundfahrt und besuchen ein_____ Flohmarkt.
4. Wir finden ein_____ Hostel / ein_____ Jugendherberge / ein_____ Hotel.
5. Wir brauchen ein_____ Fahrrad.
6. Wir suchen ein_____ Touristeninformation / ein_____ Haltestelle.

nach 4

2 Auskunft geben

a Fragen und Antworten – Ordnen Sie zu.

1. Guten Tag.	_____	a) Gehen Sie hier links und dann geradeaus.
2. Entschuldigung, ich habe eine Frage.	1	b) Guten Tag.
3. Wo ist die Eichendorff-Schule?	_____	c) Bitte.
4. Ist das weit?	_____	d) Genau. Sie ist rechts von der Schule.
5. Ist da die Jakobuskirche?	_____	e) Nein, vielleicht 20 Minuten zu Fuß.
6. Ja, den Weg kenne ich dann. Vielen Dank.	_____	f) Ja bitte.

b Wegbeschreibung – Zeichnen Sie die Wegbeschreibungen ein.

1. Gehen Sie über die Kreuzung.
2. Gehen Sie die zweite Straße rechts.
3. Gehen Sie immer geradeaus.
4. Gehen Sie bis zur Ampel und dann links.
5. Gehen Sie bis zur Kreuzung und dann rechts. Dann die nächste Straße links.

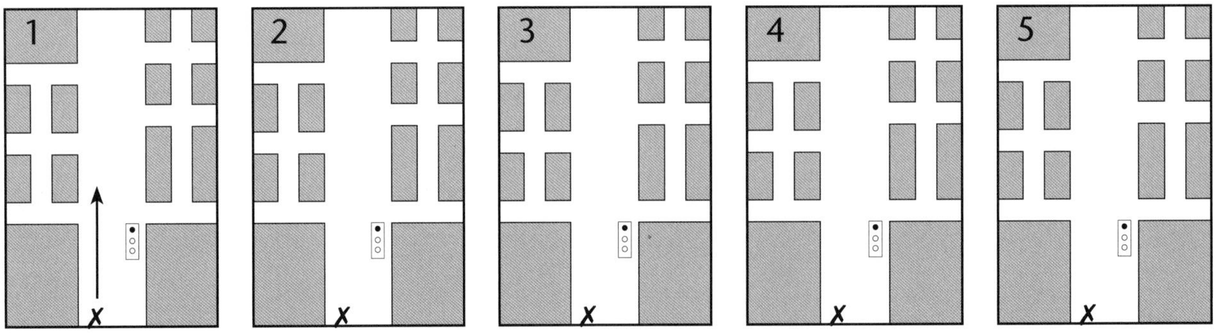

1 X

2 X

3 X

4 X

5 X

c Dialoge – Ergänzen Sie.

Dialog 1

- Entschuldigung, w___ ___ komme i___ ___ zur Po___ ___?
- Gehen S___ ___ geradeaus u___ ___ dann d___ ___ nächste Str___ ___ ___ rechts. An d___ ___ Ampel ge___ ___ ___ Sie li___ ___ ___. Da se___ ___ ___ Sie d___ ___ Post.

Dialog 2

- Entschu___ ___ ___ ___ ___ ___ ___, ich su___ ___ ___ die Halte___ ___ ___ ___ ___ ___ „Markusplatz".
- Gehen S___ ___ immer gera___ ___ ___ ___ ___ und da___ ___ die zwe___ ___ ___ Straße rec___ ___ ___. Gehen S___ ___ dann d___ ___ nächste li___ ___ ___. An d___ ___ Kreuzung se___ ___ ___ Sie d___ ___ Haltestelle.

d Imperativ – Schreiben Sie die Sätze in der Sie-Form und du-Form.

1. am Rathaus umsteigen — *Steigen Sie / Steig am Rathaus um.*
2. die Linie 3 bis zum Rathaus nehmen ______________________
3. dort zur Haltestelle gehen ______________________
4. drei Stationen fahren ______________________
5. direkt zum Bahnhof fahren ______________________
6. am Bahnhof aussteigen ______________________

nach **6**

3 Präpositionen mit Dativ

a Markieren Sie die richtigen Präpositionen.

1. Fährt der Bus direkt **nach dem / zum** Bahnhof?
2. Ilona fährt **mit dem / im** Bus **nach der / zur** Schule.
3. **Nach dem / Am** Frühstück lese ich die Zeitung.
4. **In/Bei** der Nähe **am/vom** Net-Café ist eine Haltestelle.
5. **Mit/Zu** dem Fahrrad fahren Sie fünf Minuten.
6. Wir sind um 16 Uhr **zum/am** Rathaus.
7. Das Ticket kaufst du **im/am** Automaten.
8. Sie fährt **mit/nach** dem Zug **nach/zu** Berlin.

b Schreiben Sie Sätze.

1. drei / Sie / fahren / dem Bus / Stationen. / Mit
2. Gemüse / immer / ich / kaufe / dem Markt. / auf
3. drei Minuten / Du / zur Haltestelle. / gehst
4. Das Kino / am Bahnhof. / ist
5. Nach / gehen / dem Unterricht / zum Markt. / wir
6. acht / geht / Um / zur Arbeit. / Herr Rau
7. mit / Max / fährt / Am / immer / Mittwoch / dem Bus.
8. beginnt / Der Unterricht / acht Uhr. / immer / um
9. fährt / Welcher / zum Schwimmbad? / Bus

1. Mit dem Bus fahren Sie drei Stationen.

____

____

____

____

____

____

____

____

c Nominativ, Akkusativ, Dativ – Ergänzen Sie die Tabelle.

Singular	Maskulinum	Neutrum	Femininum
Nominativ	*der / (k)ein Bus*	*das / (k)ein Café*	*die / (k)eine Kirche*
Akkusativ			
Dativ			

⚠ *Ein/Eine* hat keinen Plural.

Plural	Maskulinum	Neutrum	Femininum
Nominativ	*die / keine Busse*		
Akkusativ			
Dativ			

d Dativ oder Akkusativ – Markieren Sie die richtige Form.

1. Fahren Sie mit **der/die** Linie 2.
2. Haben Sie **einen/einem** Netzplan?
3. Am Bahnhof gibt es **kein/keinem** Internetcafé.
4. Das Ishara-Bad ist ganz in **der/die** Nähe.
5. Ich fahre immer mit **die/der** Straßenbahn in die Stadt.

nach 10

4 Informationen vor Ort

a Welche Verben passen? Ordnen Sie zu und schreiben Sie Sätze.

gehen • buchstabieren • überweisen • kaufen • essen • treffen • ~~ausfüllen~~ • eröffnen

1. den Personalbogen ausfüllen — Frau Lipinska füllt den Personalbogen aus.
2. ein Konto ______ — Sie ______
3. in der Kantine ______ ______
4. eine Kollegin ______ ______
5. die Miete ______ ______
6. eine Monatskarte ______ ______
7. zur Sparkasse ______ ______
8. den Familiennamen ______ ______

b Schreiben Sie den Text ins Heft.

HERRFRANKEHATEINENEUEARBEITSSTELLEUMZEHNUHRDREIßIGHATEREINENTERMINIMPERSONALBÜRODORTFÜLLTERDENPERSONALBOGENAUSERGEHTIN

SEINBÜROUNDBEGRÜßTDIEKOLLEGENERGEHTMITSEINENKOLLEGENINDIEKANTINEZUMMITTAGESSENINDREIWOCHENBEGINNTERSEINEARBEITINDERFIRMA

c Wiederholung: Artikel und Pluralformen – Ergänzen Sie bitte.

Artikel	Nomen	Plural	Artikel	Nomen	Plural
das	Haus	die Häuser		Kochtopf	
	Kind			Tasse	
	Hausnummer			Büro	
	Stunde			Kino	
	Kuli			Flasche	
	Heft			Glas	
	Nähmaschine			Teller	
	Staubsauger			Gabel	
	Fahrrad			Vorspeise	
	Auto			Salat	

Die Wortschatz-Hitparade

Nomen

die Ampel, -n ______
die Anmeldung, -en ______
die Auskunft, "-e ______
der Ausweis, -e ______
die Bahn, -en ______
der Bahnhof, "-e ______
die Bank, -en ______
der Fahrplan, "-e ______
das Gehalt, "-er ______
der Geldautomat, -en ______
das Girokonto, -konten ______
der Hauptbahnhof, "-e ______
die Jugendherberge, -n ______
die Kantine, -n ______
der Kilometer, – ______
die Kirche, -n ______
die Kreuzung, -en ______
die Monatskarte, -n ______
die Nähe *Sg.* ______
der Pass, "-e ______
das Personalbüro, -s ______
der Platz, "-e ______
die Richtung, -en ______
die S-Bahn, -en ______
die Sparkasse, -n ______
der Stadtplan, "-e ______
das Stadtzentrum, -zentren ______
die Station, -en ______
die Straßenbahn, -en ______
das Taxi, -s ______
das Ticket, -s ______
der/die Tourist/in, -en/nen ______
die U-Bahn, -en ______
der Verkehr *Sg.* ______
der Weg, -e ______
der Zug, "-e ______

Verben

ankommen ______
anschauen ______
aussteigen ______
besichtigen ______
erleben ______
finden ______
halten ______
umsteigen ______

Adjektive

bekannt ______
bequem ______
berühmt ______
fremd ______
interessant ______
weit ______

Andere Wörter

dort ______
gegenüber ______
geradeaus ______
mehrere ______
ungefähr ______
wohin ______

5 Wörter thematisch – Sammeln Sie Wörter. Die Wortschatz-Hitparade hilft.

Orte in der Stadt	Verkehr	Arbeit/Firma
die Kirche	*umsteigen*	*das Personalbüro*

6 Wichtige Wörter und Sätze – Schreiben Sie in Ihrer Sprache.

Welcher Bus fährt zur/zum/nach ...? __________

Wie komme ich zur/zum/nach ...? __________

Fährt der Bus auch nachts? __________

Wo ist der nächste Geldautomat? __________

Wie lange brauche ich zur/zum/nach ...? __________

Gehen Sie geradeaus und dann rechts/links. __________

7 Wichtige Wörter und Sätze für Sie – Schreiben Sie.

Ihre Sprache:	Deutsch:

8 Ich über mich

Wo sind Sie gern? Wo sind Sie nicht gern? Schreiben Sie Sätze wie im Beispiel.

Ich gehe gern im Stadtpark spazieren.
Ich gehe nicht gern zum Arzt.

8 Zimmer, Küche, Bad

nach 3

1 Wortfelder: „Wohnen" und „Stadt"

a Ordnen Sie zu. Ergänzen Sie bei den Nomen die Artikel.

~~Altbau~~ • ~~Ampel~~ • Apartment • Auto • Bad • Balkon • Bus • Dusche • Einkaufszentrum • Garten • Haltestelle • Haus • Kaution • Kreuzung • Küche • Miete • Nebenkosten • Neubau • Parkplatz • Platz • Rathaus • S-Bahn • Schlafzimmer • Schule • Spielplatz • Straße • Straßenbahn • Toilette • Wohnzimmer • Zentrum

Wortfeld „Wohnen"

der Altbau

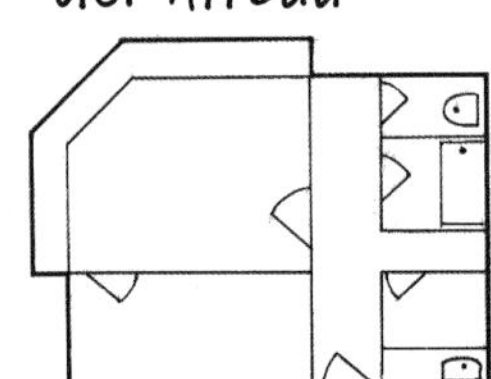

Wortfeld „Stadt"

die Ampel

b Wünsche und Möglichkeiten – Schreiben Sie die Sätze.

1. brauche / einen Parkplatz / Ich / . *Ich brauche* ______
2. eine Wohnung / Ich / haben / im Zentrum / will / . ______
3. 500 Euro / Ich / Miete / bezahlen / kann / . ______
4. Ich / in der Nähe / Sportmöglichkeiten / brauche / . ______
5. möchte / mit Balkon / Ich / eine Wohnung / . ______
6. muss / groß / sein / Die Küche / nicht sehr / . ______

nach 4

2 Wohnungssuche – Ergänzen Sie passende Verben. Probleme?↓ (S. 47)

1. Lucia Paoletti *ist* ______ 25 Jahre alt. Sie ______ ein Praktikum bei RTL in Köln. Zurzeit ______ sie bei Freunden, aber sie ______ ein Zimmer. Lucia ______ nicht viel Geld, aber sie ______ ein Stipendium von 500 Euro im Monat und ihr Vater ______ ihr auch noch 100 Euro monatlich.

2. Ulrike und Bernd Klotz ____________________ eine größere Wohnung, denn bald ____________________ das dritte Kind. Herr Klotz ____________________ ungefähr 1900 Euro im Monat.

3. Güven Toluk ist Ingenieur und ____________________ seit zwei Jahren in Köln. Seine Frau ist Lehrerin. Sie ____________________ 12 Stunden in der Woche. Sie ____________________ gerne mehr arbeiten. Die zwei ____________________ eine Wohnung für ungefähr 500 bis 600 Euro im Monat.

arbeiten • geben • haben • haben • kommen • machen • möchten • ~~sein~~ • suchen • suchen • suchen • unterrichten • verdienen • wohnen

nach **5**

3 *Wollen* und *können*

a Ergänzen Sie zuerst die Tabelle und dann die Sätze.

	wollen	können
ich	will	
du		
er/es/sie		
wir		
ihr		könnt
sie/Sie		

1. Ich w____________________ eine neue Wohnung.
2. Er k____________________ nur 500 € bezahlen.
3. W____________________ du morgen wegfahren?
4. Nein, ich k____________________ nicht.
5. K____________________ Sie sofort einziehen?
6. Ihr k____________________ bei mir wohnen.
7. Wann w____________________ Sie umziehen?

b Schreiben Sie die Sätze und markieren Sie wie im Beispiel.

1. wollen / Wir / im Zentrum / mieten / etwas / . — Wir **wollen** etwas im Zentrum **mieten**.
2. die Zeitung / geben / Sie / bitte / mir / Können / ? ____________________
3. morgen / ansehen / mir / eine Wohnung / Ich / will / . ____________________
4. in den Garten / man / auch / Kann / gehen / ? ____________________
5. doch / zahlen / 700 Euro / nicht / Miete / Ihr / könnt / . ____________________

nach **6**

4 *Und, oder, aber, denn* – Verbinden Sie die Sätze. Schreiben Sie ins Heft.

1. Ich möchte eine große Wohnung mieten. Ich habe kein Geld.
2. Wir brauchen eine neue Wohnung. Wir bekommen ein Kind.
3. Willst du in der Stadt suchen? Willst du lieber am Stadtrand suchen?
4. Die Wohnung muss ruhig sein. Es muss eine Haltestelle in der Nähe sein.

nach 9

5 Vergangenheit: das Perfekt

a Ergänzen Sie die Sätze mit den Perfektformen der Verben.

1. Ich *habe* die Wohnung gestern *angesehen*. — ansehen
2. Silke ______ den Mietvertrag schon ______. — unterschreiben
3. Die Bollmanns ______ ein Haus ______. — kaufen
4. Ich ______ die Kisten noch nicht ______. — packen
5. Ich ______ Spaghetti mit Tomatensoße ______. — essen
6. Und wie ______ du die erste Nacht ______? — schlafen
7. Ich ______ drei Monatsmieten Kaution ______. — bezahlen
8. Carla ______ eine Wohnung ______. — finden
9. ______ du sie schon mal ______? — besuchen
10. Sie ______ mir ihre Adresse leider nicht ______. — geben
11. Wir ______ Pizza fürs Abendessen ______. — mitbringen
12. Ich ______ den ganzen Tag noch nichts ______. — trinken
13. Ich ______ alle meine Freunde zur Party ______. — einladen

b Schreiben Sie die Sätze im Perfekt.

1. Lucia / packen / die Sachen und / helfen / ihre Freunde / .
2. Gestern / aufmachen / die Bäckerei / erst um acht Uhr / .
3. Wir / verkaufen / vorgestern / unser Auto / .
4. Letzte Woche / kochen / Lucia / Spaghetti. Es / schmecken / super / .
5. finden / ihr / eine Wohnung / ?
6. Ich / suchen / schon zwei Monate / .
7. Ich / lesen / gestern / die Zeitung. Ich / verstehen / schon viel / .
8. Ich / anrufen / Sie / heute Morgen / .
9. Frau Schütz / machen / letztes Wochenende / Überstunden / .

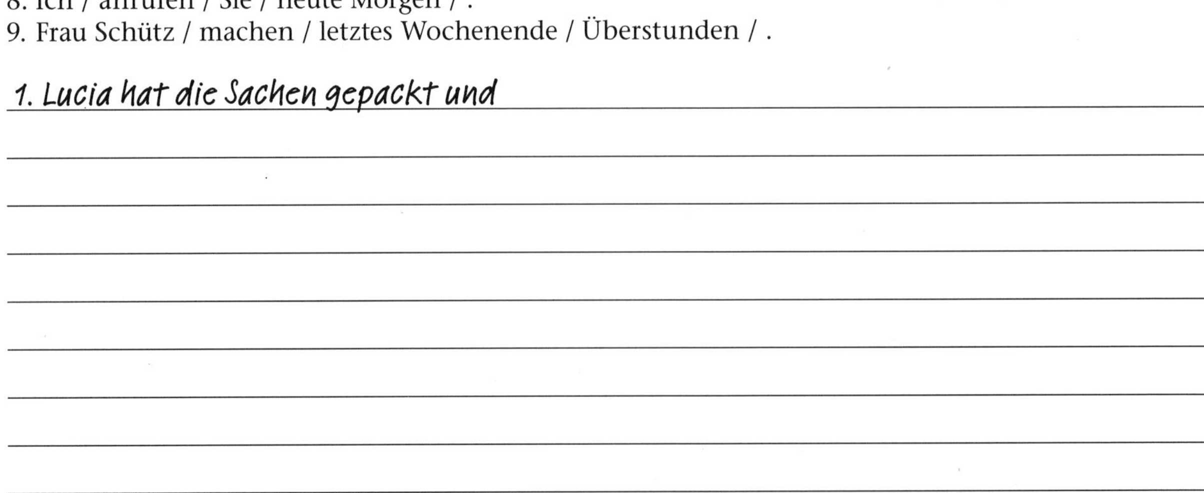

1. Lucia hat die Sachen gepackt und

nach 10

6 Rechtschreibung

a In der E-Mail ist alles kleingeschrieben. Schreiben Sie den Brief richtig.

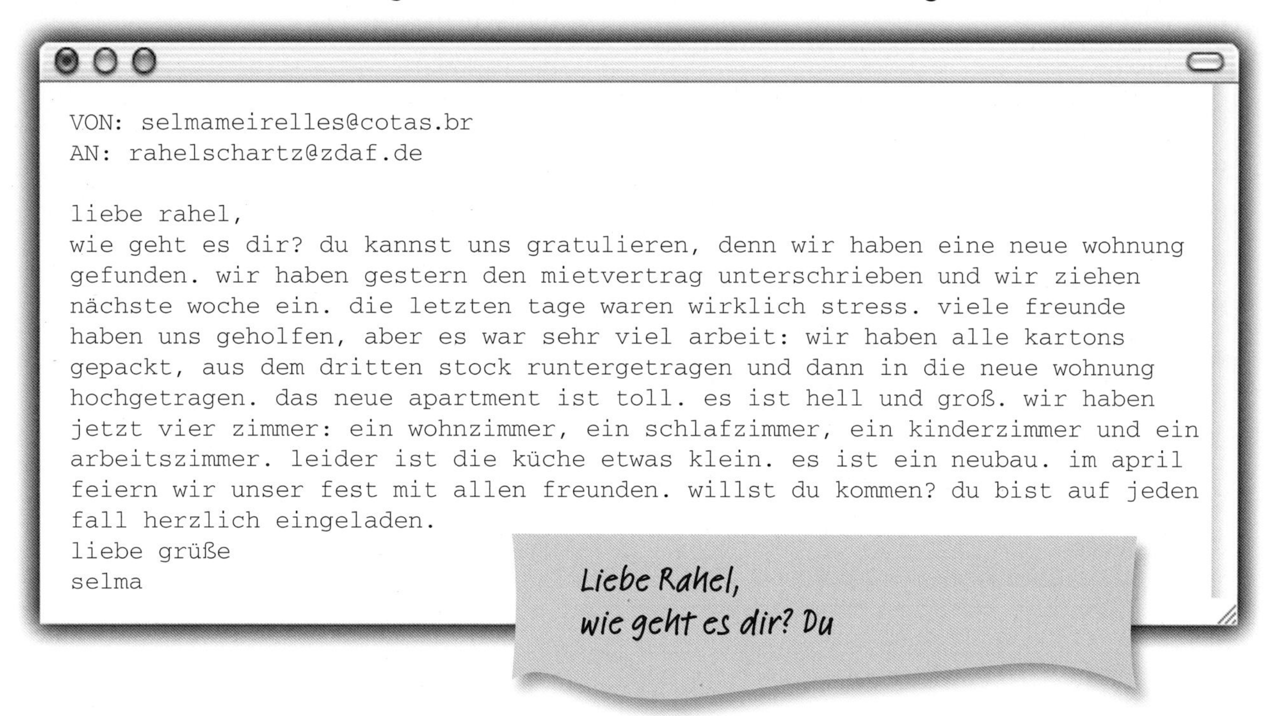

VON: selmameirelles@cotas.br
AN: rahelschartz@zdaf.de

liebe rahel,
wie geht es dir? du kannst uns gratulieren, denn wir haben eine neue wohnung gefunden. wir haben gestern den mietvertrag unterschrieben und wir ziehen nächste woche ein. die letzten tage waren wirklich stress. viele freunde haben uns geholfen, aber es war sehr viel arbeit: wir haben alle kartons gepackt, aus dem dritten stock runtergetragen und dann in die neue wohnung hochgetragen. das neue apartment ist toll. es ist hell und groß. wir haben jetzt vier zimmer: ein wohnzimmer, ein schlafzimmer, ein kinderzimmer und ein arbeitszimmer. leider ist die küche etwas klein. es ist ein neubau. im april feiern wir unser fest mit allen freunden. willst du kommen? du bist auf jeden fall herzlich eingeladen.
liebe grüße
selma

b Komposita – Wie viele zusammengesetzte Wörter können Sie finden? Sie können jedes Element nur einmal verwenden. Schreiben Sie ins Heft. Sie haben 14 gefunden? Gut! – 20? Super! – 25? Genial!

~~Alt~~ anschluss anzeige Arbeits Bade ~~bau~~ bau Drei- fahrerin geschoss gruppe Halte ingenieurin Kabel Kabel- Kinder Kinder kosten Miet miete miete möglichkeit Monats Neben Neu Ober Park platz platz platz Schlaf Schreib situation Spiel Sport stelle suche Taxi tisch Ton TV Unter vertrag wanne Wohn Wohn Wohnungs Wohnungs zimmer zimmer zimmer Zimmer-Wohnung

c Ergänzen Sie die Sätze. Die Wörter aus 6b helfen.

1. Ich habe ein Zimmer. Ich wohne zur U_______________.
2. Wir suchen eine _______________. Wir brauchen ein W_______________ _______________, ein S_______________ und ein K_______________.
3. Ich habe gestern den M_______________ für meine Wohnung unterschrieben.
4. Die Miete ist günstig (400 €), aber die N_______________ sind hoch, fast 200 €.
5. Mein Beruf ist _______________. Ich sitze viel im Auto.
6. Ich habe ein Auto. Jeden Abend suche ich einen P_______________.

Die Wortschatz-Hitparade

Nomen

die Badewanne, -n ____________________
der Balkon, -e ____________________
die Dusche, -n ____________________
die Garage, -n ____________________
der Garten, "– ____________________
der/die Hausmeister/in, –/nen ____________________
der Hof, "-e ____________________
die Kaution, -en ____________________
der Keller, – ____________________
die Küche, -n ____________________
der Lärm *Sg.* ____________________
die Miete, -n ____________________
die Möbel *Pl.* ____________________
der Müll *Sg.* ____________________
die Mülltonne, -n ____________________
die Nebenkosten *Pl.* ____________________
der Parkplatz, "-e ____________________
die Ruhe *Sg.* ____________________
der Schlüssel, – ____________________
der Spielplatz, "-e ____________________
der Strom *Sg.* ____________________
die Toilette, -n ____________________
die Treppe, -n ____________________
der Umzug, "-e ____________________
der/die Vermieter/in, –/nen ____________________
das WC, -s ____________________
das Wohnzimmer, – ____________________

Verben

ausziehen ____________________
beachten ____________________
benutzen ____________________
bezahlen ____________________
einziehen ____________________
feiern ____________________
informieren ____________________
mieten ____________________
packen ____________________
parken ____________________
reinigen ____________________
sorgen ____________________
tragen ____________________
trocknen ____________________
umziehen ____________________
unterschreiben ____________________
verdienen ____________________
vermieten ____________________

Adjektive

hell ____________________
leise ____________________
möbliert ____________________
ruhig ____________________
sauber ____________________
warm ____________________

Andere Wörter

dazu ____________________
etwa ____________________
netto ____________________
sofort ____________________
verboten ____________________
zurzeit ____________________

7 Welche Verben aus der Wortschatz-Hitparade passen.

1. das Auto *parken, mieten ...*
2. die Umzugskartons ______
3. eine Wohnung ______
4. die Miete ______
5. den Vermieter ______
6. den Mietvertrag ______
7. die Wäsche ______

8 Welche Nomen aus der Wortschatz-Hitparade passen?

1. Schlafzimmer und W______
2. Mieter und ______
3. Miete und ______
4. Bad und ______

9 Wichtige Sätze und Ausdrücke – Schreiben Sie in Ihrer Sprache.

Ich suche ein Zimmer / eine Wohnung. ______
Ist die Wohnung noch frei? ______
Wie hoch ist die Miete / sind die Nebenkosten? ______
Gibt es in der Nähe einen Supermarkt? ______
Muss ich Kaution bezahlen? ______
Wie weit ist es bis zur Bushaltestelle? ______
Wann kann ich die Wohnung ansehen? ______

10 Wichtige Wörter und Sätze für Sie – Schreiben Sie.

Ihre Sprache:	Deutsch:
______	______
______	______
______	______
______	______
______	______

11 Ich über mich
Wie soll die nächste Wohnung sein?
Notieren Sie Stichworte.

Ort: Zingst, Größe: 3 Zimmer, Balkon, Miete: bis 600 €

______
______
______
______

9 Was ist passiert?

nach 2

1 Wochenende

a Minidialoge – Was passt zusammen? Ordnen Sie zu.

1. Was hast du gestern Abend gemacht?	____	a) Natürlich, aber wir sind früher gegangen.
2. Wo wart ihr am Wochenende?	____	b) Ich hatte einen Unfall.
3. Was hast du mit deinem Arm gemacht?	1	c) Ich war zu Hause und habe gelernt.
4. Warst du schon mal in München?	____	d) Nein, aber ich möchte gern hinfahren.
5. Wart ihr gestern im Unterricht?	____	e) Nein, ich habe lange geschlafen.
6. Haben Sie am Sonntag gearbeitet?	____	f) Wir waren in Hamburg. Es war super.

b Ergänzen Sie den Text.

Wir haben ein Picknick gemacht. Am Sam__ __ __ __ habe i__ __ lange gesch__ __ __ __ __. Ich b__ __ um e__ __ aufgestanden u__ __ vor d__ __ Frühstück b__ __ ich i__ __ Schwimmbad gega__ __ __ __. Danach ha__ __ ich einge__ __ __ __ __ und b__ __ mit d__ __ Fahrrad zu mei__ __ __ Freundin gefa__ __ __ __. Am Nachm__ __ __ __ __ haben w__ __ einen Aus__ __ __ __ gemacht. W__ __ sind m__ __ dem Fah__ __ __ __ zum S__ __ gefahren u__ __ dort ha__ __ __ wir e__ __ Picknick gem__ __ __ __. Das mac__ __ __ wir o__ __. Gestern h__ __ meine Freu__ __ __ __ das Pick__ __ __ __ vorbereitet u__ __ am näch__ __ __ __ Wochenende ma__ __ __ ich das. Das Wetter war super und wir sind erst abends wieder nach Hause gefahren.

c Was habt ihr gestern gemacht? Schreiben Sie Sätze ins Heft.

1. ganz spontan / wir / in Hamburg / haben / besucht / Freunde / .
2. am Wochenende / gebacken / ich / habe / Kuchen / .
3. etwas / alle / haben / mitgebracht / Eltern / .
4. eine Party / hatte / und / Maria / hat / gemacht / Geburtstag / .
5. mit unseren Kindern / wir / im Kindergarten / gearbeitet / haben / .
6. eine / habe / halbe Stunde / ich / an der Haltestelle / gewartet / .
7. war / ich / einkaufen / in der Stadt / mit meiner Freundin / .
8. mit der Familie / wir / gemacht / einen Ausflug / nach Leipzig / haben / .
9. ins Krankenhaus / mein Vater / gestern / gekommen / ist / Abend / .

1. Wir haben ...

nach **2**

2 Ihr Tag

a Perfekt mit *sein* oder *haben*? Kreuzen Sie an und notieren Sie die Perfektformen.

	sein	haben		
1.	☐	☒	wegbringen	sie *hat weggebracht*
2.	☐	☐	weggehen	sie ______
3.	☐	☐	putzen	sie ______
4.	☐	☐	aufstehen	sie ______
5.	☐	☐	einschlafen	sie ______
6.	☐	☐	anrufen	sie ______
7.	☐	☐	fernsehen	sie ______
8.	☐	☐	wählen	sie ______
9.	☐	☐	arbeiten	sie ______
10.	☐	☐	kommen	sie ______
11.	☐	☐	holen	sie ______
12.	☐	☐	fahren	sie ______

b Verschlafen – Schreiben Sie die Sätze im Perfekt.

1. ich / gestern Nacht / aufwachen / um drei Uhr / .
2. ich / zwei Stunden / lesen / .
3. ich / um fünf Uhr / wieder / einschlafen / .
4. der Wecker / um sechs Uhr / klingeln / .
5. ich / nicht / aufwachen / .
6. ich / verschlafen / .
7. ich / ins Büro kommen / zwei Stunden zu spät / .
8. ich / bis 19 Uhr / im Büro / bleiben / .

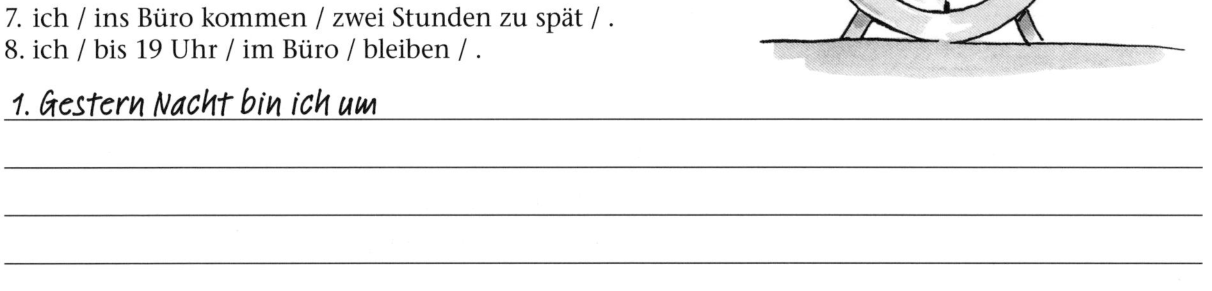

1. Gestern Nacht bin ich um ______

______

______

______

______

______

c Das Partizip-II-Formen-Puzzle – Wie viele Verbformen finden Sie?

~~ge~~ • ge • ge • ge • ver • be • an • ~~arbeit~~ • schlaf • kauf • kauf • ruf • such • ~~et~~ • t • t • t • en • en

gearbeitet, ______

______

______

d Wiederholung: trennbare Verben – Schreiben Sie Beispiele.

räumen • ordnen • machen • stehen • hören • schreiben • lesen • hängen • fragen • sehen • bringen • kaufen • holen • schlafen • reisen • füllen • wachen

ab abräumen, abschreiben, abholen, abhören, abreisen

an

auf

aus

ein

mit

nach

vor

weg

zu

e In diesem Text sind 20 Wörter falsch geschrieben. Korrigieren Sie.

VON: regiwest@berlinnetz.de
AN: bernardoelsner@cotas.bo

Lieber Bernardo,

vor Monaten

Vor zwei monaten bin ich in Köln ankommen und wohne bei meiner Schwester. Nein, ich habe 6 Wochen bei Martha gewont! Denn jetzt habe ich ein Zimer in einem Studentenwohnheim gefunden. Vor zwei Wochen haben wir den Umtzug gemacht. Das war nicht viel Arbait, denn das Zimmer ist möbliert. Ich habe schon Viele Leute kennengelernt und habe sehr nette Nachbarn. Wir kochen oft gemeinsan und am Wochenende haben wir Abends eine Party gemacht. Ich habe natürlich Pizza gebaken, mit dem Rezept von meiner Grosmutter. Das funktioniert immer! Wir haben den ganzen Nachmitag gekocht und alles vorbereite. Es war super. Gestern war ich in der Universität und habe mich anmeldet: Puhhh! Ich habe so viele Formular ausgefüllt und mein Terminkallender ist ganz voll! Jetzt habe ich meinen ausweis und bin Studentin an der universität Hamburg!

Bis bald und ville Grüße

Regina

nach 8

3 Lebenslauf

a Lebenslauf 1 – Ordnen Sie die Wörter zu.

Arbeitsstelle • Beruf • Berufsausbildung • Eltern • ~~Familienname~~ • geboren • Geburtsort • Hobbys • Schulbildung • Sprachkenntnisse • Vorname

Familienname	Omeragic
______________	Kada
______________	1975
______________	Banja Luka, Bosnien
______________	Sabid und Selda Omeragic
______________	Grundschule von 1981 bis 1984
	Realschule von 1984 bis 1990
______________	Ausbildung als Buchhalterin
______________	Sachbearbeiterin bei einer Versicherung
______________	Iduna Versicherung, Magdeburg
______________	Bosnisch, Französisch, Deutsch
______________	Sport, Fotografieren, Computer

b Lebenslauf 2 – Ergänzen Sie.

Schule • Jahre • Sprachkurs • Geschwister • Schwester • Jahre • Kaufhaus • Mutter • Hausfrau • ~~Jahr~~ • Buchhalterin • Schulausbildung • Bruder • Deutschland • Berufsausbildung • Vater • Ausbildung • Deutsch • Volkshochschule • Jahren • Lehrer

Ich heiße Kada Omeragic. Ich bin im *J a h r* 1975 in Banja Luka, in Bosnien geboren. Damals war das noch Jugoslawien. Meine ______ war ________ und mein _____ war ______. Ich habe zwei ___________: eine _________ und einen ______. 1981 bin ich in die ______ gekommen. Nach meiner ______________ sind wir nach Sarajewo gezogen. Da habe ich dann meine ______________ zur ____________ gemacht. Danach habe ich fünf _____ in einem ________ gearbeitet. Dann habe ich eine _________ zur Versicherungskauffrau gemacht. 2003 sind wir nach ___________ gekommen. Zuerst habe ich nicht gearbeitet. Es war verboten. Dann habe ich drei _____ in einer Gärtnerei gearbeitet. In den ersten ______ habe ich nur wenig _______ gelernt. Aber dann habe ich einen __________ an der _______________ in Mannheim gemacht.

Die Wortschatz-Hitparade

Nomen

die Arbeitsstelle, -n ______
der/die Angestellte, -en ______
die Ausbildung, -en ______
der Ausflug, "-e ______
der Beruf, -e ______
die Berufsausbildung, -en ______
der Geburtsort, -e ______
die Geschichte *Sg.* ______
die Hauptstadt, "-e ______
der Hunger *Sg.* ______
die Idee, -n ______
der Kindergarten, "– ______
das Krankenhaus, "-er ______
der Krankenwagen, – ______
der Lehrgang, "-e ______
das Picknick, -s ______
das Programm, -e ______
die Schulbildung *Sg.* ______
der Schluss, "-e *meist Sg.* ______
der Test, -s ______
der Unfall, "-e ______
der Urlaub, -e ______
die Umschulung, -en ______
der Wecker, – ______

Verben

ausreisen ______
backen ______
bleiben ______
dauern ______
fallen ______
korrigieren ______
lachen ______
mitbringen ______
passieren ______
putzen ______
renovieren ______
rufen ______
singen ______
wegbringen ______
überlegen ______
wählen ______
ziehen ______

Adjektive

eigener/es/e ______
letzter/es/e ______
persönlich ______

Andere Wörter

bald ______
dieser/es/e ______
einfach ______
genauso ______
gestern ______
vorgestern ______
wieder ______
wirklich ______

4 **Welche Wörter passen zu den Begriffen? Die Wortschatz-Hitparade hilft.**

Unfall	Arbeit/Ausbildung	Familie	Freizeit
der Arzt			

5 **Ergänzen Sie die Sätze mit Wörtern aus der Wortschatz-Hitparade.**

1. Meine Tochter ist drei Jahre alt. Sie geht jetzt in den __________.
2. Am Wochenende essen wir im Park. Dann machen wir ein __________.
3. Am Sonntag schlafe ich lange. Da brauche ich keinen __________.
4. Ich hatte einen Unfall. Der __________ hat mich abgeholt und ins __________ gebracht.
5. In meinem Beruf kann ich nicht mehr arbeiten. Ich mache gerade eine __________. Der __________ dauert ein Jahr.

6 **Wichtige Wörter und Sätze – Schreiben Sie in Ihrer Sprache.**

Was hast du gestern/letztes Wochenende gemacht? __________
Wann bist du gestern nach Hause gekommen? __________
Welche Schule hast du besucht? __________
Wie lange warst du in der Schule? __________
Von wann bis wann hast du eine Ausbildung gemacht? __________

7 **Wichtige Wörter und Sätze für Sie – Schreiben Sie.**

Ihre Sprache:	Deutsch:

8 **Ich über mich – Was war schön im letzten Monat/Jahr? Schreiben Sie wie im Beispiel.**

Mein Freund hatte vor vier Wochen Geburtstag. Er hat eine Party gemacht. Da habe ich Lise kennengelernt. Wir haben uns super unterhalten und viel getanzt. Vor einer Woche waren wir zusammen ...

10 Ich arbeite bei …

nach 3

1 Beruf – Arbeitsalltag

a Ergänzen Sie die Berufe 1–8 und ordnen Sie die Wörter zu. Mehrere Zuordnungen sind möglich.

sauber • beraten • reparieren • telefonieren • fahren • pflegen • Waschmaschine • zählen • Internet • Tisch • Stuhl • Staubsauger • Auto • ~~Formulare~~ • Supermarkt • Drucker • Scanner • Bus • Lampe • Geld • Abrechnung • verkaufen • putzen

1. Buch__________/in Formulare__________
2. Elek__________/in __________
3. Fah__________/in __________
4. In__________/in __________
5. Kas__________/in __________
6. Kraftfahrzeug__________/in __________
7. Se__________/in __________
8. Raum__________/in __________

b Sandra Klose – Ergänzen Sie die passenden Wörter und Ausdrücke.

Supermarkt • Bezahlung • arbeitslos • Tochter • dort • die Stunde • von 16 Uhr bis 20 Uhr • ~~seit zwei Jahren~~ • langweilig • Verkäuferin • putze • arbeiten • Zeitarbeitsfirma • hierbleiben • nicht mehr

Den Job als Raumpflegerin mache ich seit zwei Jahren (1). Eigentlich bin ich __________ (2). Jetzt __________ (3) ich Büros. Die Arbeit ist schwer und __________ (4). Aber ich bin lieber Putzfrau als __________ (5). Mein Mann und ich arbeiten für die gleiche __________ (6). Die __________ (7) ist schlecht. Nur sieben Euro __________ (8). Und die Arbeitszeit wechselt oft. Zurzeit muss ich __________ (9) arbeiten. Mein Mann will nach Stuttgart. Er sagt: „__________ (10) ist alles besser, da musst du __________ (11) putzen." Ich will lieber __________ (12) und mein Sohn und meine __________ (13) auch. Bei uns gibt es bald einen neuen __________ (14). Vielleicht kann ich da __________ (15).

c Frau Pirk und Herr Peneda – Schreiben Sie Sätze.

1. schreibt / Programme / pflegt / die Homepage / Frau Pirk / und / .
2. Spaß / macht / Die Arbeit / und / interessant / ist / .
3. Manchmal / Bereitschaftsdienst / sie / hat / am Wochenende / .
4. fahren / muss / Computerproblemen / in die Firma / sie / Bei / .
5. fährt / auf / oft / Herr Peneda / neue Baustelle / eine / .
6. neue Kollegen / kennen / lernt / immer / Er / .
7. Sommer / gerne früh / steht / Im / auf / er / .
8. In fünf Jahren / will / eigene Firma / haben / er / eine / .

1. Frau Pirk schreibt Programme und pflegt die Homepage.

nach 4

2 Modalverben

a Ergänzen Sie die Tabelle.

	müssen	können	wollen	(möchten)
ich	muss			möchte
du				
er/es/sie				
wir				
ihr				
sie/Sie				

b *Möchten, wollen, müssen, können* – Markieren Sie das passende Modalverb.

⚠ *wollen* = ☹ ☹ sehr direkt; *möchten* = ☺ ☺ höflich/freundlich

1. Ich will/muss jeden Morgen um sechs Uhr aufstehen. Ich brauche eine Stunde ins Büro.
2. Am Wochenende kann/muss ich immer lange schlafen.
3. Ich möchte/will ein Pfund Kartoffeln und drei Tomaten bitte.
4. Frau Mladic, müssen/können Sie mir helfen? Der Staubsauger funktioniert nicht.
5. Kannst/Musst du samstags arbeiten? – Nein, da habe ich immer frei.
6. Müssen/Möchten Sie etwas trinken? – Ja, ich möchte/will eine Apfelsaftschorle.
7. Die Arbeit will/muss interessant sein.
8. Ich muss/will keine anstrengende Arbeit machen. Ich arbeite lieber im Büro.
9. Ich kann/möchte schon gut Englisch und jetzt lerne ich Deutsch.
10. Kannst/Möchtest du mit dem Bus zur Arbeit fahren? – Nein, es gibt keinen Bus.

c Schreiben Sie die Sätze mit Modalverb in die Tabelle.

1. Frau Pirk hilft bei Computerproblemen. (müssen)
2. Sie kommt um zehn Uhr in die Firma. (können)
3. Sie hat immer ein Handy dabei. (müssen)
4. Herr Peneda macht bald seine Meisterprüfung. (möchten)
5. Manchmal macht er Überstunden. (müssen)
6. In fünf Jahren hat er eine eigene Firma. (wollen)

	Modalverb		Verb
1. *Frau Pirk*	*muss*	*bei Computerproblemen*	*helfen.*
2.			
3.			
4.			
5.			
6.			

d Was ist wichtig? – Ordnen Sie zu.

1. Ich möchte viel *3* a) anstrengende Arbeit machen.
2. Ich will nicht mit den ____ b) bezahlt sein.
3. Ich möchte keine ____ c) Händen arbeiten.
4. Ich muss morgens ____ d) Fahrrad zur Arbeit fahren.
5. Ich kann nachmittags ____ e) früh aufhören.
6. Ich will mit vielen ____ f) Geld verdienen.
7. Ich kann mit dem ____ g) immer früh anfangen.
8. Die Arbeit muss gut ____ h) Menschen Kontakt haben.

e Wiederholung: Satzklammer – Schreiben Sie die Sätze.

Trennbare Verben

1. anfangen / jeden Morgen / um sechs Uhr — Ich *fange jeden Morgen um sechs Uhr an.*
2. aufmachen / um fünf Uhr / auch samstags — Der Kiosk ____
3. einkaufen / muss / heute nach der Arbeit — Ich ____
4. mitkommen / ins Kino / ? — ____ ihr ____
5. zumachen / um 20 Uhr / in Deutschland — Supermärkte ____

Perfekt

6. meinen Computer / reparieren / haben — Frau Pirk ____
7. heute / 10 Stunden / arbeiten / haben — Wir ____
8. aufstehen / sein / um fünf / heute — Herr Klose ____
9. umziehen / wann / sein / ? — ____ du ____
10. am Wochenende / arbeiten / haben / ? — ____ ihr ____

nach 7

3 Arbeitsplatz und Beruf

a Rechtschreibung – In der E-Mail ist alles kleingeschrieben. Schreiben Sie den Text richtig.

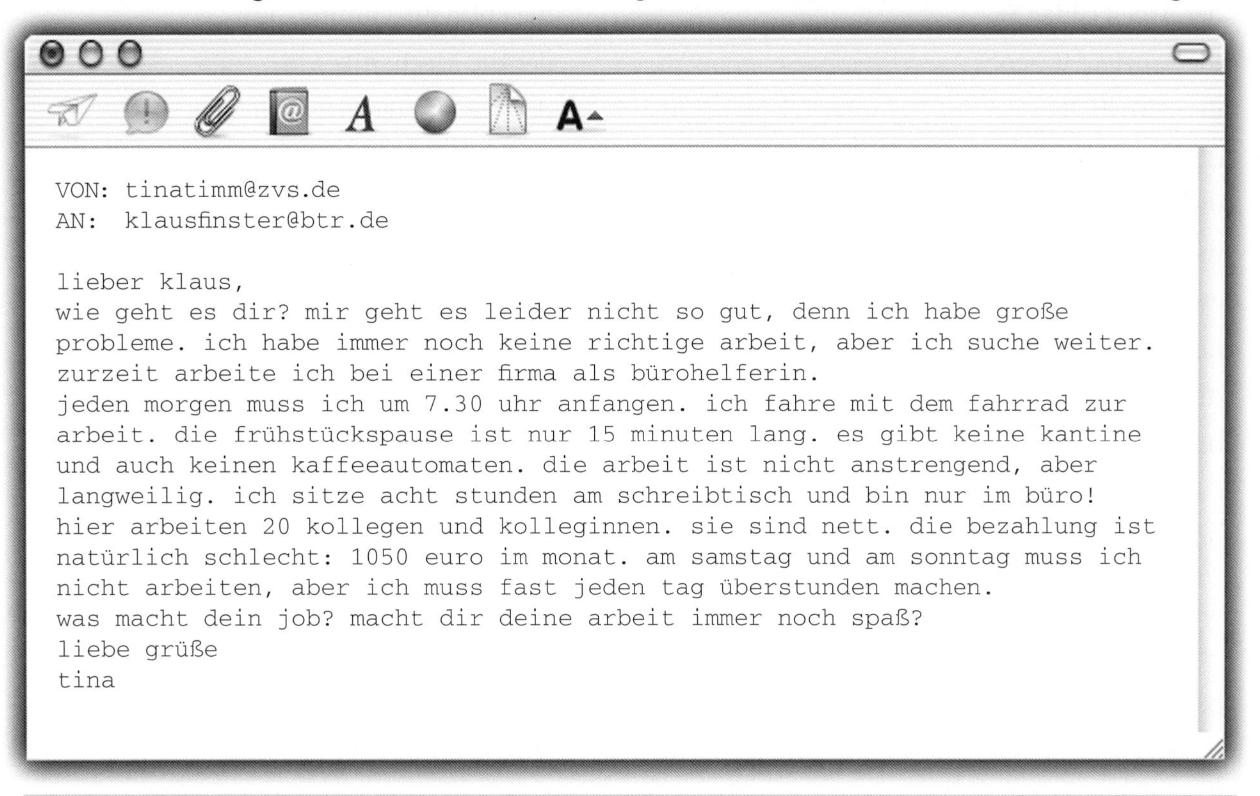

VON: tinatimm@zvs.de
AN: klausfinster@btr.de

lieber klaus,
wie geht es dir? mir geht es leider nicht so gut, denn ich habe große probleme. ich habe immer noch keine richtige arbeit, aber ich suche weiter. zurzeit arbeite ich bei einer firma als bürohelferin.
jeden morgen muss ich um 7.30 uhr anfangen. ich fahre mit dem fahrrad zur arbeit. die frühstückspause ist nur 15 minuten lang. es gibt keine kantine und auch keinen kaffeeautomaten. die arbeit ist nicht anstrengend, aber langweilig. ich sitze acht stunden am schreibtisch und bin nur im büro! hier arbeiten 20 kollegen und kolleginnen. sie sind nett. die bezahlung ist natürlich schlecht: 1050 euro im monat. am samstag und am sonntag muss ich nicht arbeiten, aber ich muss fast jeden tag überstunden machen.
was macht dein job? macht dir deine arbeit immer noch spaß?
liebe grüße
tina

Lieber Klaus,
wie geht es dir? Mir ...

b Fragen zum Beruf – Ordnen Sie zu.

1. Was bist du	____	a) anderen Beruf haben?
2. Macht dir	____	b) dein Beruf Spaß?
3. Musst du oft	____	c) der Beruf Krankenschwester?
4. Wie viel Urlaub	____	d) du im Monat?
5. Wie viel verdienst	____	e) hast du im Jahr?
6. Wann musst	____	f) kannst du nach Hause gehen?
7. Um wie viel Uhr	____	g) mit vielen Kollegen zusammen?
8. Arbeitest du gern	____	h) du morgens anfangen?
9. Möchtest du einen	____	i) Überstunden machen?
10. Wie gefällt dir	1	j) von Beruf?

Die Wortschatz-Hitparade

Nomen

der Apparat, -e ______
der Arbeitsalltag *Sg.* ______
die Arbeitszeit, -en ______
der Betrieb, -e ______
die Bewerbung, -en ______
die Bezahlung, -en ______
die Erfahrung, -en ______
der Fehler, – ______
der Führerschein, -e ______
die Großstadt, "-e ______
die Hand, "-e ______
der Job, -s ______
der/die Kellner/in, –/nen ______
der/die Künstler/in, –/nen ______
die Lohnabrechnung, -en ______
der/die Mechaniker/in, –/nen ______
der/die Meister/in, –/nen ______
der/die Mitarbeiter/in, –/nen ______
die Stadtmitte, -n *meist Sg.* ______
die Stelle, -n ______
die Stellenanzeige, -n ______
der Stundenlohn, "-e ______
das Team, -s ______
die Überstunde, -n ______
die Voraussetzung, -en ______
der Vorteil, -e ______

Verben

beraten ______
bieten ______
dabeihaben ______
erfinden ______
nachschlagen ______
pflegen ______
reagieren ______
reparieren ______
verbinden ______
wechseln ______
zusammenarbeiten ______

Adjektive

angenehm ______
arbeitslos ______
anstrengend ______
beruflich ______
freundlich ______
jung ______
selbstständig ______
sicher ______
üblich ______
zentral ______
zuverlässig ______

Andere Wörter

brutto ______
deshalb ______
einverstanden ______
gleich ______
hoffentlich ______
möglich ______
nie ______
sogar ______

4 **Ergänzen Sie passende Wörter aus der Wortschatz-Hitparade. Es gibt mehrere Möglichkeiten.**

1. Ich arbeite nicht gern allein. Ich arbeite lieber in einem ______________________.
2. Füllen Sie bitte das ______________________ aus.
3. Da ist ein Fehler in meiner ______________________. Es sind zu wenig Stunden.
4. Ich habe die 35-Stunden-Woche, aber ich muss oft ______________________ machen.
5. Wir suchen eine Fahrerin mit ______________________ der Klasse C.
6. Meine Arbeit ist sehr ______________________. Abends bin ich immer total fertig.
7. Mein ______________________ ist 12 Euro.
8. Mein Chef ist ______________________, aber die Arbeit ist leider nicht ______________________.
9. Ihren Computer kann ich nicht mehr ______________________. Sie brauchen einen neuen.
10. Ihre ______________________ ist von 8 Uhr bis 17 Uhr.

5 **Wichtige Wörter und Sätze – Schreiben Sie in Ihrer Sprache.**

Ich arbeite bei ... Ich bin Sekretärin. ______________________
Wie viele Stunden arbeiten Sie in der Woche? ______________________
Was verdient man als Sekretärin? ______________________
Ich möchte Teilzeit arbeiten. ______________________
Mit wem spreche ich? ______________________
Ich möchte Herrn/Frau Biste sprechen. ______________________
Entschuldigung, ich habe mich verwählt. ______________________

6 **Wichtige Wörter und Sätze für Sie – Schreiben Sie.**

Ihre Sprache:	Deutsch:
______________________	______________________
______________________	______________________
______________________	______________________
______________________	______________________
______________________	______________________

7 **Ich über mich**
Arbeitsalltag. Schreiben Sie drei Sätze wie im Beispiel.

Ich stehe morgens um fünf Uhr auf. Um sieben Uhr muss ich in der Firma sein.
Ich arbeite acht Stunden von montags bis freitags ...

11 Gesund und fit

nach 2

1 Körperteile. Suchrätsel – Sie können 15 Wörter für Körperteile finden (➔ und ➘). Notieren Sie sie mit den Artikeln.

H	A	N	D	F	I	C	P	E	K	Y	C
L	H	W	R	Ü	C	K	E	N	N	T	H
H	A	L	S	R	G	C	A	I	I	U	H
B	G	M	G	I	B	M	B	F	E	W	P
A	S	C	H	U	L	T	E	R	H	T	Y
U	I	O	C	Q	M	K	I	Y	A	C	Y
C	Q	J	D	M	U	F	N	Z	A	D	A
H	O	O	F	I	N	G	E	R	R	X	N
K	H	W	V	N	D	R	S	A	U	G	E
Z	R	I	M	A	R	M	K	S	E	K	O
V	O	L	N	S	F	Q	M	R	X	J	H
H	D	N	F	E	Z	E	H	E	P	J	W

1. die Hand
2. ______
3. ______
4. ______
5. ______
6. ______
7. ______
8. ______
9. ______
10. ______
11. ______
12. ______
13. ______
14. ______
15. ______

nach 4

2 Fitness

a Schreiben Sie Sätze.

1. möchte / Ich / machen / einen Trainingsplan / .
2. du / in / Warst / einem Fitness-Studio / schon mal / ?
3. ist immer / Am Anfang / ein Basisprogramm / wichtig / .
4. möchte / Sabine / und / ist / abnehmen / zu dick / .
5. für den Bauch / Kannst / mir / du / zeigen / eine gute Übung / ?
6. gut, / ist / Eine Diät / aber auch / ist / Sport / wichtig / .
7. joggt regelmäßig / trainiert / Daniela / und / den „Hamburg-Marathon" / für / .

b Tipps zum Abnehmen – Schreiben Sie die Imperativsätze in der *du*-Form und *Sie*-Form.

1. keine Schokolade essen — Iss / Essen Sie keine Schokolade.
2. viel Fahrrad fahren — ______
3. ins Fitness-Studio gehen — ______
4. mit Freunden gemeinsam abnehmen — ______
5. viel Wasser trinken — ______
6. viel spazieren gehen — ______
7. viel Obst und Gemüse essen — ______
8. mit deiner/Ihrer Hausärztin sprechen — ______

nach 6

3 Beim Arzt

a Nomen und Verben – Was passt zusammen?

putzen • machen • kontrollieren • nehmen • schreiben • haben • untersuchen • röntgen • kaufen • brauchen

1. den Rücken	3. Schmerzen	5. den Arm	7. Tabletten
2. die Zähne	4. ein Rezept	6. Sport	8. eine Krankmeldung

den Rücken untersuchen, röntgen

b Ergänzen Sie die Sätze. Probleme?↓

Patient/Patientin

1. Ich habe eine Erkältung ______, Husten und Schnupfen.
2. Mir ist ______. Ich habe Bauchweh.
3. Mein Bein tut ______.
4. Ich habe 40 °C ______.
5. Ich ______ ein Rezept für Schmerztabletten.

Arzt/Ärztin

1. Haben Sie ______ im Bein?
2. Ich ______ Ihnen ein Rezept.
3. Nehmen Sie die ______ und verteilen Sie sie langsam auf dem Arm.
4. Sie dürfen nicht ______ und keinen Alkohol trinken.
5. Sie müssen viel ______.

brauche • ~~Erkältung~~ • rauchen • schlafen • schlecht • Schmerzen • schreibe • Salbe • weh • Fieber

c Fragen und Antworten – Ordnen Sie zu.

1. Können Sie nachts gut schlafen? ___ a) Dr. Buldmeyer in der Johannstraße.
2. Machen Sie viel Sport? ___ b) Hier an der Schulter und oben am Rücken.
3. Wer ist Ihr Hausarzt? ___ c) Aua!!!
4. Wie lange haben Sie die Schmerzen? ___ d) Ja, ich spiele Fußball und gehe ins Fitness-Studio.
5. Tut das weh? ___ e) Ungefähr seit sechs Wochen.
6. Wo tut es Ihnen weh? _1_ f) Nur mit Schlaftabletten.

nach **7**

4 Modalverben *sollen* und *dürfen*

a Ergänzen Sie die Tabelle.

	sollen	dürfen
ich	soll	
du		
er/es/sie		
wir		
ihr		
sie/Sie		

Hier dürfen Sie nicht rauchen!

b *Sollen* – Schreiben Sie Sätze.

1. du / Kannst / ich / alleine gehen / soll / helfen / oder / dir / ?
2. gesagt / hat / Herr Schmidt, / wir / zum Arzt / dich / sollen / bringen / .
3. ist / Frau Wiese / gefallen, / soll / zum Röntgen / sie / .
4. Guten Tag, / die Krankmeldung / ich / für meine Frau / abholen / soll / .
5. trinken / sollst / viel Tee / Du / und / bleiben / im Bett / .

1. Kannst du alleine ______________________

____

____

____

____

c *Dürfen* oder *müssen* – Ergänzen Sie die passende Form.

1. ● _Darf_ ich morgen wieder Sport machen?
   ○ Nein, Sie ______ eine Woche nichts machen.
2. ● Wie oft ______ ich die Tabletten nehmen?
   ○ Sie ______ dreimal am Tag zwei Tabletten nehmen.
3. ● ______ wir Fußball spielen?
   ○ Ihr ______ zuerst eure Hausaufgaben machen.

nach 8

5 Imperativ – ihr-Form. Schreiben Sie die Sätze in der ihr-Form mit *bitte*.

1. das Fenster zumachen
2. Salat essen
3. höflich sprechen
4. nicht so schnell laufen
5. die Hausaufgaben machen
6. in den Garten gehen

Macht bitte das Fenster zu.

nach 11

6 Termine

a Ergänzen Sie den Dialog.

halb vier • Schmerzen • komme • gleich • Vorsorge • früher • Termin • warten • Tag • am

● Praxis Dr. Bleiche, guten Tag.

○ Beckord, guten ____________________. Ich brauche einen ____________________.

● Zur ____________________?

○ Nein, ich habe ____________________, vor allem abends.

● Können Sie ____________________ Donnerstag? Um ____________________?

○ Geht es nicht ____________________?

● Hm, Sie können auch ____________________ kommen. Sie müssen aber vielleicht ____________________.

○ Gut, danke, dann ____________________ ich lieber morgen.

b Ergänzen Sie den Dialog.

● Praxis Dr. Gebauer, guten Tag.

○ Luhmann, gu__ __ __ Tag. I__ __ habe he__ __ __ einen Ter__ __ __ zur Vors__ __ __ __ für mei__ __ __ Sohn. Es t__ __ mir le__ __, aber i__ __ kann he__ __ __ nicht kom__ __ __. Können w__ __ den Ter__ __ __ verschieben?

● Natü__ __ __ __ __! Wann kön__ __ __ Sie de__ __ kommen? Am Dienstagvormi__ __ __ __?

○ Ja, das passt gut.

c *Ja* oder *doch* – Ergänzen Sie.

● Hast du keinen Arzttermin? ○ *Doch*____________, um 9.30 Uhr.

● Brauchen Sie eine Krankmeldung? ○ ____________________.

● Wir haben einen Termin um 8 Uhr. Können Sie nicht früher kommen? ○ ____________________.

● Machen Sie Sport? ○ ____________________, ich gehe regelmäßig joggen.

● Trinken Sie morgens keinen Kaffee? ○ ____________________, zwei Tassen. Das brauche ich.

Die Wortschatz-Hitparade

Nomen

der Arm, -e ______
der/die Arzt/Ärztin, "-e/nen ______
das Auge, -n ______
der Bauch, "-e ______
das Bein, -e ______
die Beschwerde, -n ______
die Brust, "-e ______
der/die Doktor/in, -en/nen ______
das Fieber *Sg.* ______
das Gesicht, -er ______
die Grippe *Sg.* ______
das Haar, -e ______
der Hals, "-e ______
die Haut *Sg.* ______
das Herz, -en ______
der Husten *Sg.* ______
das Knie, – ______

der Kopf, "-e ______
der Körper, – ______
die Mahlzeit, -en ______
das Medikament, -e ______
der Mund, "-er ______
die Nase, -n ______
das Ohr, -en ______
der/die Patient/in, -en/nen ______
der Rücken, – ______
die Salbe, -n ______
der Schmerz, -en ______
der Schnupfen Sg. ______
der Spaziergang, "-e ______
die Sprechstunde, -n ______
die Tablette, -n ______
der Tropfen, – ______
der Zahn, "-e ______

Verben

abnehmen ______
erlauben ______
hinfallen ______
spazieren gehen ______

untersuchen ______
wehtun ______
wiederkommen ______
zunehmen ______

Adjektive

aktiv ______
dick ______
fit ______
gesund ______
heiß ______

krank ______
regelmäßig ______
schlank ______
schlimm ______
ungesund ______

Andere Wörter

genug ______
mindestens ______

stündlich ______
übermorgen ______

7 **Wörter thematisch – Sammeln Sie Wörter. Die Wortschatz-Hitparade hilft.**

der Kopf, die Kopfschmerzen

8 **Wichtige Wörter und Sätze – Schreiben Sie in Ihrer Sprache.**

Ich habe Kopfschmerzen. ______

Ich habe Probleme mit dem/der … ______

Ich habe Fieber/Husten/Schnupfen / eine Erkältung. ______

Seit … Tagen habe ich Kopfschmerzen. ______

Seit gestern/vorgestern / letztem Montag … ______

Hier oben/unten/hinten/vorne tut es weh. ______

Ich brauche ein Rezept. ______

Ich brauche einen Termin bei … ______

Kann ich jetzt vorbeikommen? ______

9 **Wichtige Wörter und Sätze für Sie – Schreiben Sie.**

Ihre Sprache:	Deutsch:
______	______
______	______
______	______
______	______
______	______

10 **Ich über mich**
Was ich für meine Gesundheit tun muss. Schreiben Sie wie im Beispiel.

Ich habe oft eine Erkältung. Ich muss mehr Obst essen. Ich habe Probleme mit …

______
______
______
______
______
______

12 Schönes Wochenende!

nach **1**

1 Wortfeld „Reisen" – Silbenrätsel

a Notieren Sie die Wörter. Es sind 30 Nomen und Verben.

Rei bü
~~ab~~ Durch ~~Ab~~ mer an Fahr päck hof Ju se Bahn gen Ü Flug gend stei
for Hal men zeug te sack ~~gen~~ tion flie kom le rer
stei ris Ein zim nach Aus sche ~~flie~~ gen Flug spekt ma ha
zel ein pel Ta Ho Ge aus gen plan ber sion ber ~~flug~~ flug
Halb füh ge Ruck ge fen ten pen Tou Pro kunft Rei weis Dop
mer
stel ro her An zim sa tel fer in Aus se Kof tung gen stei um

abfliegen, der Abflug

b Schreiben Sie fünf bis zehn Sätze zum Thema „Reisen" mit Wörtern aus 1a.

Ich hätte gerne ein Doppelzimmer.

nach **4**

2 Wohin? – Schreiben Sie Sätze zu den Bildern.

1

Er geht an den See.

2

3

4

5

6

7

8

9

10

nach 5

3 Personalpronomen

a Ergänzen Sie die Tabelle.

Nominativ	ich								
Akkusativ	mich								

b Ergänzen Sie die Personalpronomen

~~ich~~ • ich • ich • ich • ich • mich • du • du • ~~dich~~ • dich • ihn • ihn • sie • sie • wir • euch • euch

Liebe Tami,

wie geht's? ___Ich___ (1) habe lange nicht mehr geschrieben und muss ___dich___ (2) um Entschuldigung bitten. Möchtest ________ (3) ________ (4) nicht besuchen? ________ (5) möchte ________ (6) nämlich zu meinem Geburtstag einladen. ________ (7) feiere ________ (8) am 10. Mai. Wie geht es deinem Sohn? ________ (9) kannst ________ (10) gerne mitbringen, ________ (11) haben Platz. Silvana kommt auch. ________ (12) habe ________ (13) eingeladen und ________ (14) bleibt sogar das ganze Wochenende. ________ (15) habe ________ (16) beide ja schon so lange nicht mehr gesehen. Hoffentlich klappt es.

Ich freue mich auf ________ (17).

Liebe Grüße

Maya

nach 6

4 Fahrkarten kaufen

a Wiederholung: Schreiben Sie die Fragen im Perfekt.

1. Reservieren Sie einen Fensterplatz? ___Haben Sie einen Fensterplatz reserviert?___
2. Fährt der Zug pünktlich ab? ________
3. Kommen Sie mit dem ICE? ________
4. Was kostet das? ________
5. Wo sitzen Sie? ________
6. Fahren Sie am Sonntag? ________
7. Buchen Sie Ihre Reise im Mai? ________

b Wiederholung: Schreiben Sie das Datum.

Wann machen Sie Urlaub?

12. 1.	am zwölften Ersten	20. 7.	________
1. 2.	________	31. 8.	________
7. 3.	________	27. 9.	________
13. 5.	________	29. 11.	________
16. 6.	________	24. 12.	________
28. 2.	________	15. 7.	________
22. 3.	________	17. 8.	________
19. 6.	________	30. 12.	________

c Ergänzen Sie den Dialog.

Verbindung • reservieren • Um wie viel • Fenster • ~~von~~ • Klasse • sitzen • Bahncard • neun • nach • fahren • nehmen • umsteigen • Am • hin • fährt • lieber • Am

● Guten Tag, ich möchte eine Fahrkarte ___von___ Würzburg ________ Heidelberg.
○ Wann möchten Sie denn ________?
● ________ 3. August.
○ Einfach oder ________ und zurück?
● Mit Rückfahrkarte bitte.
○ Haben Sie eine ________?
● Nein.
○ ________ Uhr möchten Sie fahren?
● Morgens, gegen ________.
○ Dann können Sie den Intercityexpress um 9 Uhr 30 ________.
● Gibt es noch eine andere ________?
○ Um 9.35 Uhr ________ ein Regionalexpress. Da müssen Sie aber dreimal ________ und brauchen fast 50 Minuten länger.
● Dann nehme ich ________ den ICE.
○ Möchten Sie einen Sitzplatz ________?
● Ja bitte.
○ 1. oder 2. ________?
● 2. Klasse.
○ Und wo möchten Sie ________? Am ________ oder am Gang?
● ________ Fenster.

nach 7

5 An der Rezeption

a Markieren Sie die passenden Präpositionen. Es können auch zwei passen.

1. Haben Sie WLAN **in/auf/hinter** der Jugendherberge?
2. Haben wir einen Kühlschrank **im/hinter/am** Zimmer?
3. Der Fernsehraum ist **hinter/neben/mit** der Rezeption.
4. Der Kühlschrank steht **unter/für/neben** dem Fenster.
5. **Vor/Neben/Für** dem Ausgang steht rechts ein Computer **mit/aus/in** Internetanschluss.
6. Wir haben eine Reservierung **für/hinter/auf** ein Doppelzimmer.
7. Die Toilette ist **neben/hinter/auf** dem Frühstücksraum.
8. Gibt es hier ein Schwimmbad **in/auf/bei** der Nähe?

b Was können Sie im Hotel fragen? Ergänzen Sie. Vergleichen Sie mit einem Partner / einer Partnerin.

Haben Sie …? Gibt es …? Wo ist …? Wo sind …? Bis wann …? Wie viel kostet …? Ab wann …? Etc.

nach 8

6 Wetter

a Ergänzen Sie die Sätze.

Wetter • Sommer • Sonne • nass

1. Es ist ________________. 
2. Die ________________ scheint. 
3. Das ________________ ist schön. 
4. Es ist ________________.

b Ergänzen Sie die Postkarte.

Lieber Georg,
herzliche G__________ von der Zugspitze! Das W__________ ist sehr sch__________ hier oben. Die S__________ sch__________. Es ist w__________, na ja, 15 G__________, aber immerhin! Man hat einen tollen Blick. Wir haben richtig Glück. Gestern war es hier noch k__________ und w__________g. Das Wetter war richtig sch__________. Es war k__________ (0 G__________) und es hat sogar gesch__________.
Morgen fahren wir weiter nach München.
Liebe Grüße
Swenja

Die Wortschatz-Hitparade

Nomen

die Ankunft *Sg.* ____________________

der Aufzug, "-e ____________________

die Durchsage, -n ____________________

das Einzelzimmer, – ____________________

die Fahrt, -en ____________________

die Fahrkarte, -n ____________________

das Fenster, – ____________________

der Flug, "-e ____________________

der Flughafen, "– ____________________

das Flugzeug, -e ____________________

die Freizeit *Sg.* ____________________

der Gang, "-e ____________________

das Gepäck *Sg.* ____________________

die Jahreszeit, -en ____________________

der Koffer, – ____________________

das Meer, -e ____________________

die Pension, -en ____________________

der Prospekt, -e ____________________

die Reise, -n ____________________

das Reisebüro, -s ____________________

die Rezeption, -en ____________________

der Schnee *Sg.* ____________________

der See, -n ____________________

die Sonne *Sg.* ____________________

der Strand, "-e ____________________

die Übernachtung, -en ____________________

die Verbindung, -en ____________________

das Wetter *Sg.* ____________________

der Wind, -e ____________________

die Wolke, -n ____________________

Verben

abfliegen ____________________

ausgeben ____________________

buchen ____________________

einsteigen ____________________

empfehlen ____________________

fliegen ____________________

mitfahren ____________________

regnen ____________________

reisen ____________________

reservieren ____________________

scheinen ____________________

schneien ____________________

sparen ____________________

verreisen ____________________

wandern ____________________

zurückfahren ____________________

Adjektive

günstig ____________________

kalt ____________________

nass ____________________

pünktlich ____________________

selten ____________________

trocken ____________________

warm ____________________

windig ____________________

Andere Wörter

ab wann ____________________

(in) bar ____________________

einige ____________________

hin und zurück ____________________

7 Wörter thematisch – Sammeln Sie Wörter. Die Wortschatz-Hitparade hilft.

HOTEL

KLIMA / WETTER
windig

REISEN

8 Wichtige Wörter und Sätze – Schreiben Sie in Ihrer Sprache.

Ich möchte für eine Woche verreisen. ______________________

Gibt es ein Sonderangebot? ______________________

Ich möchte ein Zimmer reservieren. ______________________

Haben Sie ein Zimmer für mich? ______________________

Ich habe eine Reservierung für … ______________________

Haben Sie Internet/WLAN? ______________________

Gibt es einen Föhn auf dem Zimmer? ______________________

Ich möchte eine Fahrkarte nach … ______________________

Wie oft muss ich umsteigen? ______________________

Um wie viel Uhr fährt der nächste Zug nach …? ______________________

Wie lange dauert die Fahrt? ______________________

Ich möchte einen Sitzplatz reservieren. ______________________

Ich zahle in bar / mit Kreditkarte. ______________________

9 Wichtige Wörter und Sätze für Sie – Schreiben Sie.

Ihre Sprache:	Deutsch:
______________________	______________________
______________________	______________________
______________________	______________________
______________________	______________________
______________________	______________________

10 Ich über mich
Schreiben Sie eine Postkarte aus Ihrem Ort an einen Freund / eine Freundin.

Liebe/r …,
heute ist das Wetter sehr schön. Ich war …

Satz

1 Satztypen

Aussagesatz:	Der Kuli	kostet	50 Cent.
W-Frage:	Wo	ist	der Supermarkt?
	Woher	kommen	Sie?
Ja/Nein-Frage:	Möchtest	du Orangensaft?	
	Kommst	du morgen nach Hause?	
Aufforderung:	Schreiben	Sie bitte den Dialog.	
	Macht	bitte den Fernseher aus.	

2 Satzklammer

Trennbare Verben		Verb		Präfix
	Frau Baier	wacht	um 5 Uhr	auf.
	Ich	fahre	heute Abend	zurück.
Modalverben		Modalverb		Verb
	Olga	will	Deutsch	lernen.
	Peter	kann	morgen	umziehen.
Perfekt		*haben/sein*		Partizip II
	Ich	habe	die Kisten	gepackt.
	Federico	ist	nicht	gekommen.

3 Satzverbindungen: *und, aber, denn*

Hauptsatz 1			Konjunktion	Hauptsatz 2		
Die Wohnung	ist	ruhig	und	sie	liegt	in der Nähe vom Park.
Wir	haben	eine 4-Zimmer-Wohnung,	denn	wir	haben	drei Kinder.
Ich	suche	eine große Wohnung,	aber	sie	darf	maximal 300 Euro kosten.

4 Zeitangaben im Satz

Am Montag	habe	**ich** keine Zeit.	
Ich	habe	**am Montag** keine Zeit.	
Um sieben Uhr	stehe	**ich**	auf.
Ich	stehe	**um sieben Uhr**	auf.
Pablo	hat	**im Januar** einen Deutschkurs	angefangen.
Im Januar	hat	**Pablo** einen Deutschkurs	angefangen.
Am Wochenende	muss	**ich** nicht	arbeiten.
Ich	muss	**am Wochenende** nicht	arbeiten.

Verb

5 Verbendungen

Infinitiv	wohn-**en**	antwort-**en**	heiß-**en**
Singular			
ich	wohn-**e**	antwort-**e**	heiß-**e**
du	wohn-**st**	antwort-**e-st**	heiß-**t**
er/es/sie	wohn-**t**	antwort-**e-t**	heiß-**t**
Plural			
wir	wohn-**en**	antwort-**en**	heiß-**en**
ihr	wohn-**t**	antwort-**e-t**	heiß-**t**
sie/Sie	wohn-**en**	antwort-**en**	heiß-**en**

6 Verben mit Vokalwechsel im Präsens

Infinitiv	sprech-en	nehm-en	ess-en	seh-en	fahr-en
ich	sprech-e	nehm-e	esse	seh-e	fahr-e
du	sprich-st	nimm-st	iss-t	sieh-st	fähr-st
er/es/sie	sprich-t	nimm-t	iss-t	sieh-t	fähr-t
wir	sprech-en	nehm-en	ess-en	seh-en	fahr-en
ihr	sprech-t	nehm-t	esst	seh-t	fahr-t
sie/Sie	sprech-en	nehm-en	ess-en	seh-en	fahr-en
Ebenso:		geben helfen			einladen schlafen tragen

7 *haben – sein*

Präsens			Präteritum		
Infinitiv	haben	sein	Infinitiv	haben	sein
ich	habe	bin	ich	hatte	war
du	hast	bist	du	hattest	warst
er/es/sie	hat	ist	er/es/sie	hatte	war
wir	haben	sind	wir	hatten	waren
ihr	habt	seid	ihr	hattet	wart
sie/Sie	haben	sind	sie/Sie	hatten	waren

8 Modalverben

Infinitiv	können	dürfen	müssen	wollen	sollen	mögen	(möcht-)
ich	**kann**	**darf**	**muss**	**will**	soll	**mag**	möchte
du	**kannst**	**darfst**	**musst**	**willst**	sollst	**magst**	möchtest
er/es/sie	**kann**	**darf**	**muss**	**will**	soll	**mag**	möchte
wir	können	dürfen	müssen	wollen	sollen	mögen	möchten
ihr	könnt	dürft	müsst	wollt	sollt	mögt	möchtet
sie/Sie	können	dürfen	müssen	wollen	sollen	mögen	möchten

9 Partizip II

	regelmäßige Verben		unregelmäßige Verben	
	Infinitiv	Partizip II	Infinitiv	Partizip II
einfache Verben	hören	**ge**hör**t**	lesen	**ge**les**en**
	packen	**ge**pack**t**	nehmen	**ge**nomm**en**
trennbare Verben	einkaufen	ein**ge**kauf**t**	einladen	ein**ge**lad**en**
	abholen	ab**ge**hol**t**	anrufen	an**ge**ruf**en**
nicht trennbare Verben	verkaufen	verkauf**t**	bekommen	bekomm**en**
			verstehen	verstand**en**
Verben auf *-ieren*	telefonieren	telefonier**t**		
	korrigieren	korrigier**t**		

10 Perfekt: Satzklammer

	haben/sein		Partizip II
Ich	habe	die Kisten	gepackt.
Mehmet	hat	um acht Uhr	gefrühstückt.
Yong-Min	ist	gestern nach Wien	gefahren.
Sie	sind	heute nicht	gekommen.
Er	hat	heute wieder nicht	eingekauft.
Wir	sind	nach Hause	gefahren.
Sie	haben	die Eltern	besucht.

11 Perfekt mit *haben* oder *sein*

Die meisten Verben bilden das Perfekt mit *haben*.

	arbeiten	Ich **habe** bei der Firma Höhne **gearbeitet**.
	verdienen	Dort **habe** ich gut **verdient**.
	lesen	**Hast** du heute schon Zeitung **gelesen**?
	kaufen	Wir **haben** drei Kästen Wasser **gekauft**.

Einige Verben bilden das Perfekt mit *sein*.

Verben der Bewegung	fallen	Carlos **ist** vom Fahrrad **gefallen**.
	fahren	Er **ist** ins Krankenhaus **gefahren**.
	kommen	Seine Mutter **ist gekommen**.
	gehen	Er **ist** ins Kino **gegangen**.
	fliegen	Mein Freund **ist** in die USA **geflogen**.
	abfahren	Der Zug **ist** pünktlich **abgefahren**.
Verben der Zustandsveränderung	einschlafen	Yong-Min **ist** im Zug **eingeschlafen**.
	aufwachen	Sie **ist** kurz vor Frankfurt wieder **aufgewacht**.
	umsteigen	In Frankfurt **ist** sie **umgestiegen**.
	aussteigen	Ich **bin** am Rathaus **ausgestiegen**.
	einsteigen	Wo **sind** Sie **eingestiegen**?
Ausnahmen	bleiben	Sie **ist** im Zug **geblieben**.
	passieren	Es **ist** nichts **passiert**.
	sein	Ich **bin** in Wien **gewesen**.

12 Verbindungen mit *es*

Wetter	Es regnet. Es schneit. Es ist kalt.	Wie lange regnet es schon? Hat es in München geschneit? Wie lange ist es schon so kalt?
Ausdrücke	Es tut mir leid. Es gibt hier viele Museen.	
persönliches Befinden	Wie geht es dir? Mir geht es super. Es tut weh.	

Nomen und Artikelwörter

13 Nomen und Artikel

Es gibt drei Artikel:

Maskulinum	Neutrum	Femininum
der	*das*	*die*
der Text	das Buch	die Seite

Manche Nomengruppen sind immer Neutrum:
- Verben als Nomen: *lernen* ➔ *das Lernen*
- Alle Nomen auf *-chen, -lein*

Diese Nomen sind immer Femininum:

- Nomen mit den Endungen *-ung, -heit, -keit, -tät, -ion, -schaft*
  die Heiz**ung**, die Gesund**heit**, die Möglich**keit**, die Quali**tät**,
  die Informat**ion**, die Kund**schaft**

- Obst: die Birne, die Kirsche, die Banane, die Kiwi

Ausnahmen: der Apfel, der Pfirsich

Alkohol ist Maskulinum:
der Wein, der Schnaps, der Whisky,
der Cognac

Ausnahme: das Bier

TIPP
Nomen immer mit Artikel und Pluralform lernen

14 Artikelwörter: Deklination

Singular	Maskulinum	Neutrum	Femininum
Nominativ	der Kurs (k)ein Kurs mein Kurs	das Land (k)ein Land mein Land	die Sprache (k)eine Sprache meine Sprache
Akkusativ	den Kurs (k)einen Kurs meinen Kurs	das Land (k)ein Land mein Land	die Sprache (k)eine Sprache meine Sprache
Dativ	dem Kurs (k)einem Kurs meinem Kurs	dem Land (k)einem Land meinem Land	der Sprache (k)einer Sprache meiner Sprache

Plural	Maskulinum/Neutrum/Femininum	
Nominativ	die/keine/–*/meine	Kurse/Länder/Sprachen
Akkusativ	die/keine/–*/meine	Kurse/Länder/Sprachen
Dativ	den/keinen/–*/meinen	Kursen/Ländern/Sprachen

* Der unbestimmte Artikel *ein/eine* fällt im Plural weg.

15 Possessivartikel

Personalpronomen	ich	du	er/es/sie	wir	ihr	sie/Sie	
Maskulinum	mein	dein	sein/sein/ihr	unser	euer	ihr/Ihr	Fahrrad
Neutrum	mein	dein	sein/sein/ihr	unser	euer	ihr/Ihr	Buch
Femininum	meine	deine	seine/seine/ihre	unsere	eure	ihre/Ihre	Tasche

Das ist **Mehmet**.
Das ist **sein** Fahrrad.
Und das **seine** Tasche.

Das ist **Yong-Min**.
Das ist **ihr** Fahrrad.
Und das **ihre** Tasche.

16 Pluralformen

(") –	(") -e	(") -er
der Computer, die Computer	die Wurst, die W**ü**rste	der Mann, die M**ä**nner
der Apfel, die Äpfel	der Kurs, die Kurse	das Kind, die Kinder
die Mutter, die M**ü**tter	die Nacht, die N**ä**chte	das Haus, die H**ä**user

-(e)n	-s
die Frau, die Frau**en**	der Test, die Tests
die Tasche, die Tasch**en**	das Kino, die Kinos
die Flasche, die Flasch**en**	die Kiwi, die Kiwis

- Fremdwörter haben oft die Pluralendung *-s*: Autos, Kiwis, Tests, Kinos ...
- Nomen auf *-el, -er* haben keine Pluralendungen.
  Wenige Ausnahmen, z. B.: Nudel**n**, Kartoffel**n**, Zwiebel**n** ...
- Die meisten Feminina (*die*) haben die Pluralendung *-(e)n*: Frau**en**, Lamp**en**, Hilf**en** ...
- Nicht zählbare Nomen haben keinen Plural: Reis, Milch, Öl ...

TIPP
Nomen immer mit Artikel und Pluralform lernen

Pronomen

17 Personalpronomen

Nominativ	ich	du	er/es/sie	
Akkusativ	mich	dich	ihn/es/sie	

Nominativ	wir	ihr	sie	Sie
Akkusativ	uns	euch	sie	Sie

Ich (N) möchte verreisen. Haben **Sie** (N) ein Angebot für **mich** (A)?
Wir (N) möchten zwei Karten für **uns** (A) reservieren.
Das Historische Museum ist interessant. **Ich** (N) möchte **es** (A) morgen besuchen.

Präpositionen

18 Lokale Präpositionen

an auf hinter neben in über unter

Frage: *Wo?* + Dativ

an	Wir machen Ferien **am** Meer.
auf	**Auf** dem Marktplatz ist heute ein Fest.
hinter	Der Frühstücksraum ist **hinter** der Rezeption.
in	Ich mache am liebsten **im** Schwarzwald Urlaub.
neben	Die Bank ist gleich **neben** dem Rathaus.
unter	**Unter** meinem Zimmer ist das Restaurant.
über	Ich wohne direkt **über** einem Supermarkt.

an + dem = am
in + dem = im

Frage: *Wohin?* + Akkusativ

an	Wir fahren **an** den Chiemsee.
	Wir fahren **ans** Meer.
in	Wir gehen **ins** Schwimmbad.

an + das = ans
in + das = ins

Frage: *Wo?/Woher?*	*Wohin?*
Ich bin **in** der Apotheke.	Ich gehe **zur** Apotheke.
Ich bin gerade **im** Bahnhof.	Ich gehe gerade **zum** Bahnhof.
Meike wohnt **in** Berlin.	Meike fährt **nach** Berlin.
Erhan kommt **aus** der Türkei.	Pablo fährt **in** die Türkei.
⚠ Ich bin **zu Hause**.	⚠ Ich gehe **nach Hause**.

zu + der = zur
zu + dem = zum

⚠ Einige Präpositionen stehen immer mit Dativ, z. B.: *aus, bei, mit, nach, seit, von, zu.*

19 Modale Präpositionen

Frage: *Wie?*	mit (+ Dativ)	Maria fährt immer **mit** der Straßenbahn / **mit** dem Bus.

20 Temporale Präpositionen

Frage: *Wann?*	an (+ Dativ)	Der Kurs beginnt **am** Montag.
	um	Das Fest beginnt **um** acht Uhr.
	von ... bis ...	Ich bin **von** acht **bis** 16 Uhr in der Firma.
	vor	Wir haben **vor** drei Jahren geheiratet.
	nach	**Nach** der Schule mache ich ein Praktikum.
	in (+ Dativ)	**In** einer Stunde beginnt der Unterricht.

Kapitel 1

1a
- ● Guten Tag. Ich bin Olga.
- ○ Hallo, ich heiße Carlos. Carlos Sánchez.
- ● Und woher kommen Sie?
- ○ Ich komme aus Spanien.
- ● Und ich komme aus Russland, aus Moskau.

1b 1. Mein Name ist Mehmet Korkmaz. 2. Ich heiße Yong-Min. 3. Woher kommen Sie? 4. Ich komme aus Korea. 5. Woher kommst du? 6. Wie heißt du?

1c 1. Hallo, ich bin Magdalena Kowalska. Ich komme aus Polen. 2. Guten Tag, mein Name ist Sabine Wohlfahrt. Ich bin Ihre Lehrerin. 3. Wie heißt du und woher kommst du? 4. Ich heiße Carlos und ich komme aus Spanien, aus Valencia. 5. Woher kommen Sie und wie heißen Sie?

2a Dialog 1
- ● Tag, ich bin Timo.
- ○ Hallo, ich heiße Silvia.
- ● Wie bitte?
- ○ Ich bin Silvia.
- ● Woher kommst du?
- ○ Ich komme aus Spanien.

Dialog 2
- ● Guten Tag, mein Name ist Schröder.
- ○ Entschuldigung, wie heißen Sie?
- ● Hans Schröder, ich komme aus Berlin.
- ○ Guten Tag, ich bin Sarah Bernd.
- ● Guten Tag, Frau Bernd.

2b 1. Wie heißt du? 2. Woher kommen Sie? 3. Entschuldigung, wie ist dein Name? 4. Und woher kommst du?

2c 2. Entschuldigung, wie heißt du? 3. Ich komme aus Spanien, und du? 4. Woher kommst du? 5. Mein Name ist Svoboda. 6. Entschuldigung, woher kommen Sie?

3a 2. Das ist Adam Svoboda. 3. Ich komme aus der Türkei. 4. Sie heißt Olga. 5. Die Stadt liegt in Korea. 6. Sie spricht Französisch. 7. Er kommt aus Tunis.

3b Russland – Russisch; Tschechien – Tschechisch; Schweden – Schwedisch; Frankreich – Französisch; Korea – Koreanisch; Marokko – Arabisch; Österreich – Deutsch; Slowakei – Slowakisch; Tunesien – Arabisch; Spanien – Spanisch; Türkei – Türkisch; Brasilien – Portugiesisch; Portugal – Portugiesisch

3c Mein Name ist Ali Kahn. Ali ist mein Vorname und Kahn ist mein Nachname. Ich spreche Arabisch und Französisch. Ich komme aus Tunesien, aus Tunis. Ich wohne in Berlin und bin im Deutschkurs A1. Die Kursleiterin heißt Maria Blasig und der Kursleiter ist Herr Wüppen-Schneider.

3d Beispiele:
Ich heiße Olga Minakova. Mein Vorname ist Adam. Mein Familienname ist Svoboda. Woher kommst du? Woher kommen Sie? Er kommt aus Valencia. Wo liegt das? Das ist in Spanien. Das ist Maria aus Kiew. Sie spricht Französisch. Sie wohnt in München. Und wer ist das?

3e 1. er kommt 2. du sprichst 3. Sie heißen 4. sie spricht 5. ich komme 6. sie buchstabiert/en 7. ich spreche 8. das liegt 9. du heißt 10. ich heiße 11. Sie sprechen

4 Nomen: Vorname, Land, Name, Satz, Wort, Zahl, Stadt, Entschuldigung, Russisch, Lehrer
Verben: buchstabieren, kommen, vorstellen, machen, schreiben, sprechen, wohnen, liegen, heißen
Andere Wörter: wie, er, nein, sie, bitte, woher, wir, ich, wo

Kapitel 2

1a ☺ Danke, gut. 😐 Es geht. ☹ Nicht so gut.

1b
1. ● Wie geht es Ihnen?
   ○ Es geht, und Ihnen?
2. ● Guten Tag, Herr Sánchez.
   ○ Guten Tag, Frau Kim.
3. ● Wie geht's dir, Mônica?
   ○ Nicht so gut.

2
- ● Guten Tag, wie geht es Ihnen?
- ○ Danke, gut. Und Ihnen?
- ● Trinken Sie Kaffee?
- ○ Nein, lieber Tee.
- ● Nehmen Sie Milch?
- ○ Ja, gern. Und Sie?
- ● Ich nehme Milch und Zucker.

3 2. Kommen Sie aus Italien? 3. Nehmen Sie Milch und Zucker? 4. Möchtest du Tee oder Kaffee? 5. Bist du Yong-Min? 6. Trinkst du Tee? 7. Sprichst du Englisch?

4a trinken, heißen, kommen, wohnen, hören, liegen, nehmen, möchten, sprechen, haben, lesen

4b du trinkst, er/es/sie/ihr lebt, wir/sie/Sie machen, er/es/sie/ihr redet, du möchtest, ich trinke; wir/sie/Sie sind, ich mache, wir/sie/Sie hören, wir/sie/Sie notieren, er/es/sie/ihr arbeitet, ich wohne; du sprichst, er/es/sie/ihr kommt, wir/sie/Sie nehmen, du kommst, er/es/sie ist, ihr seid

4c 2. Nehmen Sie Milch? 3. Ich nehme/möchte nur Zucker. 4. Ich wohne in der Mainstraße. 5. Sprechen Sie Deutsch? 6. Ja, ich bin aus Rom. 7. Spricht er Deutsch? 8. Ich möchte/nehme Orangensaft, bitte. 9. Sind Sie aus Italien? 10. Wohnst du in Berlin?

4d Dialog 1
K.: Hallo, ist hier frei?
C.: Ja, klar. Das sind Beata und Maria.
K.: Hallo. Ich heiße Kasimir. Seid ihr im Deutschkurs B?
M.: Nein, wir sind im Kurs C.
K.: Und was macht ihr in Deutschland?
M.: Deutsch lernen! Wir sind Au-pair-Mädchen.
C.: Toll, dann sprecht ihr viel Deutsch zu Hause.

Dialog 2
K.: Woher kommt ihr?
B.: Aus Polen. Wir kommen aus Warschau. Und ihr?
C.: Ich komme aus Spanien, aus Valencia. Und Kasimir kommt aus der Ukraine.
K.: Ja, aus Kiew. Was möchtet ihr trinken? Trinkt ihr Tee?
B.: Ich nehme lieber Mineralwasser. Was trinkst du, Maria?
M.: Kaffee natürlich. Mit viel Milch und Zucker bitte.

4e du hörst, ich trink/e, wir nehm/en, er/es/sie/ihr trink/t, sie nimm/t, ihr möcht/et, du sprich/st, er/es/sie/ihr wohn/t, ihr komm/t, wir/sie/Sie arbeit/en, er/es/sie/ihr leb/t, wir lern/en, du mach/st, er/es/sie ist, wir hör/en, er/es/sie/ihr heiß/t, wir/sie/Sie komm/en, wir/sie/Sie sind, ich nehm/e, ihr sprech/t, wir/sie/Sie komm/en, ich sprech/e, du trink/st, wir nehm/en

5a 1 eins, 2 zwei, 3 drei, 4 vier, 5 fünf, 6 sechs, 7 sieben, 8 acht, 9 neun, 10 zehn, 11 elf, 12 zwölf

5b (falsche Zahlen unterstrichen:)
1. null eins sechs sechs acht acht sechs sieben acht fünf 2. null zwei sieben fünf vier sechs sechs fünf sieben drei 3. null eins sieben acht drei vier acht fünf sechs drei sieben 4. null eins zwei acht neun sieben eins fünf acht eins vier

6a 2. Wo wohnst du? 3. Wie ist deine Telefonnummer? 4. Woher kommst du? 5. Wie geht es dir? 6. Was trinkst du?

6b 2. Wo wohnen Sie? 3. Wie ist Ihre Telefonnummer? 4. Woher kommen Sie? 5. Wie geht es Ihnen? 6. Was trinken Sie?

7a

24	zwei / vier	vierundzwanzig
57	sieben / fünf	siebenundfünfzig
136	eins / drei / sechs	einhundertsechsunddreißig
287	zwei / acht / sieben	zweihundertsiebenundachtzig
130	eins / drei / null	einhundertdreißig
217	zwei / eins / sieben	zweihundertsiebzehn
499	vier / neun / neun	vierhundertneunundneunzig

7b 2. 41/einundvierzig
3. 73/dreiundsiebzig
4. 80/achtzig

7c Dialog 1
● Zwei Espresso und ein Wasser – das macht vier Euro achtzig.
○ Wie viel?
● Oh, Entschuldigung, drei Euro achtzig.
○ Hier bitte, vier Euro. Ist o. k. so.
● Danke.

Dialog 2
● Das sind ein Mineralwasser, ein Kaffee, ein Tee und zwei Espresso.
○ Sechs Euro achtzig.
● Zwei, vier, sechs ... fünfzig ... Mist! Hast du 30 Cent?

Kapitel 3

1a der Computer, der Stuhl, das Fahrrad, der Kuli, der Tisch, der Herd, das Handy, der Kinderwagen, der Bleistift, der Drucker, die Waschmaschine, die Lampe, das Auto, die Kaffeemaschine, der Kühlschrank, der Staubsauger, das Bügeleisen, das Heft, der Fernseher

1b
● Was kostet der Fernseher?
○ 45 Euro. Er ist fast neu.
● Das ist teuer.
○ Er ist sehr klein. Und was kostet der Monitor?
● 20 Euro.
○ Das ist billig. Funktioniert er?
● Natürlich!

1c 2. Der Drucker kostet acht Euro. 3. Was möchten Sie? 4. Das Handy ist sehr teuer. 5. Wie ist die Handynummer? 6. Hast du Telefon? 7. Nimmst du das Bügeleisen?

2a 38 achtunddreißig, 94 vierundneunzig, 199 einhundertneunundneunzig, 364 dreihundertvierundsechzig, 207 zweihundertsieben, 509 fünfhundertneun, 822 achthundertzweiundzwanzig, 1012 eintausendzwölf, 2376 zweitausenddreihundertsechsundsiebzig, 4981 viertausendneunhunderteinundachtzig

2b 98,77: achtundneunzig Euro und siebenundsiebzig Cent; 35,92: fünfunddreißig Euro und zweiundneunzig Cent; 120,56: hundertzwanzig Euro und sechsundfünfzig Cent; 16,66: sechzehn Euro und sechsundsechzig Cent; 215,33: zweihundertfünfzehn Euro und dreiunddreißig Cent; 84,12: vierundachtzig Euro und zwölf Cent; 15,79: fünfzehn Euro und neunundsiebzig Cent

2c Espresso: eins zwanzig / ein Euro und zwanzig Cent
Cappuccino: eins achtzig / ein Euro und achtzig Cent
Cola/Fanta: eins zwanzig / ein Euro und zwanzig Cent
Wasser: eins zwanzig / ein Euro und zwanzig Cent
Orangensaft: eins fünfzig / ein Euro und fünfzig Cent
Apfelsaft: eins vierzig / ein Euro und vierzig Cent
Milch: neunzig Cent

3a das/ein/kein/mein/dein Auto, die/eine/keine/meine/deine Nähmaschine, der/ein/kein/mein/dein Fernseher, der/ein/kein/mein/dein Staubsauger, die/eine/keine/meine/deine CD, der/ein/kein/mein/dein Kursraum, der/ein/kein/mein/dein Computer, die/eine/keine/meine/deine Postleitzahl, die/eine/keine/meine/deine Nummer, das/ein/kein/mein/dein Heft, die/eine/keine/meine/deine Schere, das/ein/kein/mein/dein Radio, das/ein/kein/mein/dein Wasser, die/eine/keine/meine/deine Lehrerin, die/eine/keine/meine/deine Adresse, der/ein/kein/mein/dein Name, das/ein/kein/mein/dein Wörterbuch, das/ein/kein/mein/dein Telefon

3b 2. Ist das ein Euro? Nein, das ist kein Euro, das ist ein Cent. 3. Ist das dein Cappuccino? Ja, das ist mein Cappuccino. 4. Ist das deine Bibliothek? Ja, das ist meine Bibliothek. 5. Ist das deine Telefonnummer? Nein, das ist meine Postleitzahl.

4a
- ● Ist das eine Kaffeekanne oder eine Teekanne?
- ○ Das ist eine Kaffeekanne, eine Thermoskanne.
- ● Und was kostet sie?
- ○ Zwölf Euro.
- ● Das ist aber sehr teuer.
- ○ Sie ist neu.
- ● Neu? Nein, ich zahle acht Euro.
- ○ Na gut. Hier ist sie!

4b Das Fahrrad ist modern/neu/praktisch.
Das Auto ist billig.
Die Lampe ist neu/modern.
Der Kuli ist teuer.
Das Telefon ist alt.
Der Fernseher ist kaputt.

4c 2. Das ist aber billig. 3. Ich nehme die Schere und das Heft. 4. Sie funktioniert super. 5. Die Waschmaschine ist bestimmt kaputt. 6. Was kostet der Staubsauger. 7. Alles zusammen kostet 25 Euro.

5

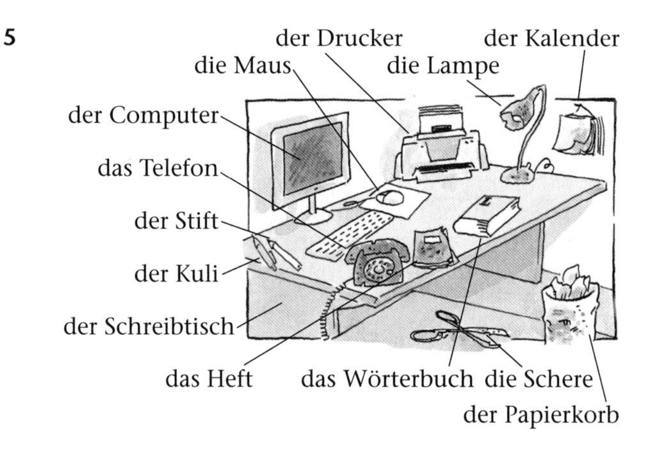

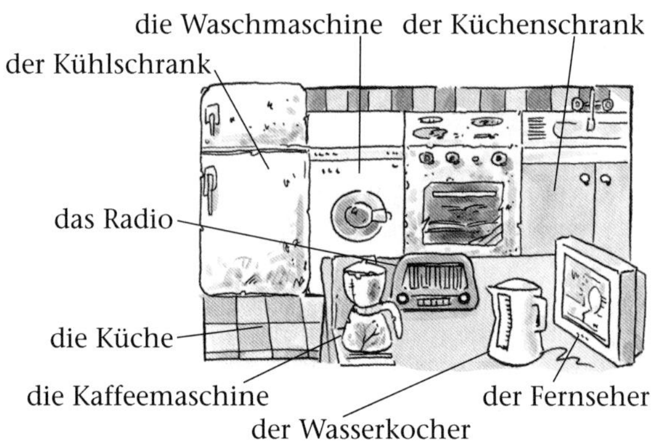

Kapitel 4

1a 2. Ich bringe meinen Sohn zur Schule. 3. Meine Tochter und ich frühstücken zusammen. 4. Meine Tochter hat um acht Uhr Schule. 5. Ich arbeite zu Hause. 6. Ich gehe um neun Uhr weg. 7. Abends spiele ich noch ein bisschen mit Lea. 8. Nach dem Abendessen sehen wir ein bisschen fern. 9. Mein Abendessen bringt der Pizzaservice.

1b Ich gehe schon um Viertel nach sieben weg. Mein Mann und mein Sohn gehen um halb acht. Mein Sohn macht ein Praktikum und mein Mann geht zur Arbeit. Meine Tochter hat um acht Uhr Schule. Ich bin um 16 Uhr zu Hause. Mein Mann kommt um 18 Uhr. Nach dem Abendessen spielen wir Karten oder wir sehen fern.

2 1f, 2h, 3b, 4c, 5d, 6g, 7e, 8a

3a

ich	stehe auf	fange an	sehe fern
du	stehst auf	fängst an	siehst fern
er/es/sie	steht auf	fängt an	sieht fern
wir	stehen auf	fangen an	sehen fern
ihr	steht auf	fangt an	seht fern
sie/Sie	stehen auf	fangen an	sehen fern

ich	kaufe ein	mache auf
du	kaufst ein	machst auf
er/es/sie	kauft ein	macht auf
wir	kaufen ein	machen auf
ihr	kauft ein	macht auf
sie/Sie	kaufen ein	machen auf

3b 2. Wer steht jeden Morgen um sechs Uhr auf? 3. Wann fängt der Deutschkurs an? 4. Wann macht der Supermarkt zu? 5. Wann kauft Petra für das Essen ein? 6. Um wie viel Uhr macht die Cafeteria auf? 7. Wo kaufst du für das Abendessen ein? 8. Wie lange sehen Sie abends fern?

4 5a, 4b, 1c, 3d, 9e, 8f, 7g, 6h, 2i

5a 2. Wie lange dauert das Konzert? 3. Wann ist das Kino zu Ende? 4. Hast du übermorgen Zeit? 5. Wie spät ist es? 6. Es ist fünf nach halb zehn. 7. Um wie viel Uhr kommst du? 8. Das Kino ist gegen 18 Uhr zu Ende. 9. Wie lange dauert der Unterricht? 10. Wann kommst du heute Abend nach Hause? 11. Ich komme um halb acht. 12. Um wie viel Uhr gehen wir ins Schwimmbad?

5b du telefonierst Sie telefonieren
du verkaufst – Sie verkaufen; du isst – Sie essen; du fängst an – Sie fangen an; du schläfst – Sie schlafen; du kochst – Sie kochen; du frühstückst – Sie frühstücken; du fährst – Sie fahren; du machst zu – Sie machen zu; du bist – Sie sind; du stehst auf – Sie stehen auf; du nimmst – Sie nehmen; du trinkst – Sie trinken; du sprichst – Sie sprechen; du kommst mit – Sie kommen mit; du gehst – Sie gehen;

5c Ein Jahr hat zwölf Monate. Ein Monat hat vier Wochen und eine Woche sieben Tage. Die Wochentage heißen Montag, Dienstag, Mittwoch, Donnerstag, Freitag, Samstag, Sonntag. Ein Tag hat 24 Stunden und eine Stunde hat 60 Minuten. Eine Minute ist nach 60 Sekunden zu Ende. Der Tag beginnt am Morgen, dann kommt der Vormittag. Um 12 Uhr ist Mittag und danach kommt der Nachmittag. Der Abend beginnt um 18 oder 20 Uhr und danach kommt die Nacht.

5d Mein Wochenende
Am Samstag gehe ich vormittags ins Schwimmbad und nachmittags in ein Konzert. Am Abend gehe ich ins Kino und dann in ein Café. Am Sonntagmorgen stehe ich spät auf. Ich frühstücke um 10 Uhr. Dann lese ich die Zeitung und höre Musik. Am Nachmittag gehe ich in den Park. Am Abend sehe ich fern und gehe um elf Uhr ins Bett.

6 Beispiele:
aufstehen, duschen, frühstücken, arbeiten, Mittagspause machen, einkaufen, kochen, essen, schlafen
Freizeitaktivitäten – der Park, das Schwimmbad, die Zeitung, fernsehen, lesen ...

Kapitel 5

1a Waagerecht: die Butter, der Saft, der Reis, der Wein, der Käse, der Schinken, das Brötchen
Senkrecht: die Paprika, der Apfel, die Milch, der Kuchen, die Banane, der Zucker, das Brot, die Kartoffel, der Joghurt, das Fleisch, die Wurst, der Fisch, der Salat

1b 2. Pfund 3. Zucker 4. Käse 5. Banane 6. Fisch 7. Tomate 8. Banane 9. Glas 10. Kasten

1c 1. Wo kaufst du ein? 2. Ich kaufe meine Lebensmittel im Supermarkt. 3. Peter kauft Wurst in der Metzgerei. 4. Frau Throm kauft Brot und Brötchen beim Bäcker. 5. Nach der Arbeit kaufen wir im Supermarkt ein. 6. Am Wochenende kaufe ich die Getränke ein.

2 2. ein Pfund 3. eine Dose 4. eine Dose 5. ein Kilo 6. eine Dose

3
● Ihr kommt aus Thailand. Mögt ihr auch Käse?
○ Käse und Brot mögen wir nicht so sehr. Wir essen viel Gemüse, Fleisch und Obst. Und du? Magst du Käse?
● Ja, es geht. Am liebsten mag ich Wurst und Schinken. Viele Kinder in Deutschland mögen Nudeln sehr. Isst man in Thailand Nudeln?
○ Ja, Reis und Nudeln mögen wir sehr gerne.

4a 2. die Kiwi, die Kiwis 3. die Kartoffel, die Kartoffeln 4. die Banane, die Bananen 5. die Zwiebel, die Zwiebeln 6. die Mango, die Mangos 7. die Birne, die Birnen 8. die Möhre, die Möhren 9. das Brot, die Brote 10. der Joghurt, die Joghurts 11. das Brötchen, die Brötchen 12. die Orange, die Orangen 13. das Ei, die Eier 14. die Paprika, die Paprikas 15. die Gurke, die Gurken

4b 1. Was kosten die Gurken, die Bananen, die Birnen, die Äpfel und die Zwiebeln? 2. Ich möchte bitte drei Gläser Tomaten, zwei Packungen Butter, sechs Eier und zwei Flaschen Apfelsaft. 3. Wir brauchen heute zwei Liter Milch, 500 Gramm Schinken, zwei Dosen Tomaten und zwei Brote.

5a 4a, 6b, 1c, 3d, 2e, 5f, 7g

5b Beispiele:
2. machen, essen, nehmen 3. kaufen, essen, holen 4. brauchen, schreiben, nehmen 5. kochen, essen 6. trinken, kochen, machen, nehmen

5c Das ist der/ein/kein Apfel / das/ein/kein Ei / die/eine/keine Birne. Sie nimmt den/einen/keinen Pfirsich / das/ein/kein Ei / die/eine/keine Kiwi. Das sind die/–/keine Pfirsiche / die/–/keine Eier / die/–/keine Kiwis. Sie nimmt die/–/keine Pfirsiche / die/–/keine Eier / die/–/keine Kiwis.

5d A 3. die 4. eine 5. eine 6. die 7. die 8. einen 9. eine 10. eine
B 1. einen 2. die 3. eine 4. einen 5. den 6. die 7. einen 8. einen 9. eine
C 1. einen 2. einen 3. ein 4. ein 5. einen 6. eine 7. eine 8. einen 9. eine 10. einen 11. ein

Kapitel 6

1a 1. der Onkel – die Tante 2. die Freundin – der Freund 3. die Ehefrau – der Ehemann 4. die Tochter – der Sohn 5. die Schwester – der Bruder 6. der Vater – die Mutter 7. der Mann – die Frau 8. alleinstehend – verheiratet

1b 1. Picknick 2. langweilig 3. mitnehmen 4. Ausflug 5. lebe 6. getrennt 7. erziehe 8. schwer 9. Haushalt 10. Geschwister 11. Familienfoto 12. zwischen

2 1. Wie viele Geschwister hast du? (a)
2. Sind Sie verheiratet? (c)
3. Wo wohnen deine Eltern? (b)
4. Wie alt ist deine Schwester? (e)
5. Hast du Kinder? (d)

3a

ich	mein Bruder	mein Kind
du	dein Bruder	dein Kind
er	sein Bruder	sein Kind
es	sein Bruder	sein Kind
sie	ihr Bruder	ihr Kind
wir	unser Bruder	unser Kind
ihr	euer Bruder	euer Kind
sie/Sie	ihr/Ihr Bruder	ihr/Ihr Kind

ich	meine Schwester	meine Eltern
du	deine Schwester	deine Eltern
er	seine Schwester	seine Eltern
es	seine Schwester	seine Eltern
sie	ihre Schwester	ihre Eltern
wir	unsere Schwester	unsere Eltern
ihr	euere Schwester	euere Eltern
sie/Sie	ihre/Ihre Schwester	ihre/Ihre Eltern

3b 1. unseren 2. deinen

3c 1. Ich bin 32 Jahre alt, mein Bruder ist 28 und meine Schwester 24. 2. Tom mag seinen Bruder sehr. Er ist Lehrer. 3. Silke heiratet am Wochenende ihren Freund. 4. Unsere Oma ist 95 und unser Opa auch. 5. Ich möchte gern deinen Vater und deine Mutter kennenlernen. 6. Leben eure Eltern noch? 7. Ich finde euren Bruder sehr nett. Wie alt ist er? 8. Rolf ist erst 16, aber seine Freundin ist 18.

4 1789 siebzehnhundertneunundachtzig
1848 achtzehnhundertachtundvierzig
1914 neunzehnhundertvierzehn
1929 neunzehnhundertneunundzwanzig
1933 neunzehnhundertdreiunddreißig
1945 neunzehnhundertfünfundvierzig
1961 neunzehnhunderteinundsechzig
1989 neunzehnhundertneunundachtzig
2001 zweitausendeins
2008 zweitausendacht

4c 2. Johann Wolfgang von Goethe ist am achtundzwanzigsten August siebzehnhundertneunundvierzig geboren. 3. Wolfgang Amadeus Mozart ist am siebenundzwanzigsten Januar siebzehnhundertsechsundfünfzig geboren. 4. Otto von Bismarck ist am ersten April achtzehnhundertfünfzehn geboren. 5. Sigmund Freud ist am sechsten Mai achtzehnhundertsechsundfünfzig geboren. 6. Rosa Luxemburg ist am fünften März achtzehnhunderteinundsiebzig geboren. 7. Gabriele Münter ist am neunzehnten Februar achtzehnhundertsiebenundsiebzig geboren. 8. Albert Einstein ist am vierzehnten März achtzehnhundertneunundsiebzig geboren.

4d

November
Dezember
Januar
Oktober
der Herbst
der Winter
Februar
September
August
der Sommer
der Frühling
März
Juli
Juni
Mai
April

5a

ich	habe	hatte	bin	war
du	hast	hattest	bist	warst
er/es/sie	hat	hatte	ist	war
wir	haben	hatten	sind	waren
ihr	habt	hattet	seid	wart
sie/Sie	haben	hatten	sind	waren

5b 1. Gestern war ich einkaufen. Ich hatte nichts mehr zu Hause. 2. Hast du heute Zeit? – Nein, heute habe ich keine Zeit. 3. Morgen hat mein Sohn Geburtstag. 4. Mein Fest war super. Aber heute bin ich total kaputt. 5. Wann wart ihr im Kino? – Gestern. Der Film war langweilig. 6. Wir sind am dritten Mai in Köln. Habt ihr da Zeit für uns? 7. Hast du heute Geburtstag? – Nein er war gestern. 8. Seid ihr heute Abend zu Hause? – Ja, wir sind ab acht da. 9. Warst du schon mal in Berlin? – Nein, ich hatte noch keine Zeit. 10. Gestern war Tom bei mir. Er hatte Fotos von Berlin.

Kapitel 7

1 1. Ich nehme ein Taxi / einen Bus und besuche meine Freundin / meinen Freund. 2. Ich kaufe einen Stadtplan / ein Ticket / eine Monatskarte. 3. Wir machen eine Stadtrundfahrt und besuchen einen Flohmarkt. 4. Wir finden ein Hostel / eine Jugendherberge / ein Hotel. 5. Wir brauchen ein Fahrrad. 6. Wir suchen eine Touristeninformation / eine Haltestelle.

2a 3a, 1b, 6c, 5d, 4e, 2f

2b

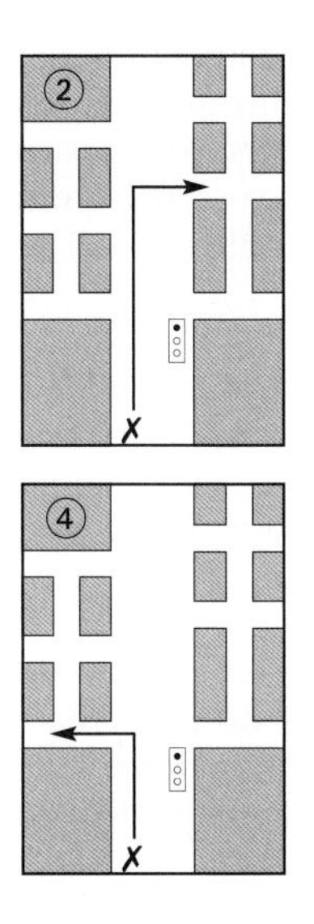

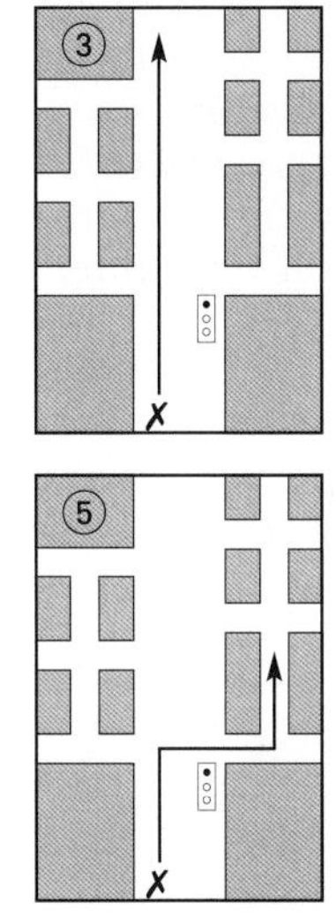

2c Dialog 1

- Entschuldigung, wie komme ich zur Post?
- Gehen Sie geradeaus und dann die nächste Straße rechts. An der Ampel gehen Sie links. Da sehen Sie die Post.

Dialog 2

- Entschuldigung, ich suche die Haltestelle „Markusplatz".
- Gehen Sie immer geradeaus und dann die zweite Straße rechts. Gehen Sie dann die nächste links. An der Kreuzung sehen Sie die Haltestelle.

2d 2. Nehmen Sie / Nimm die Linie 3 bis zum Rathaus. 3. Gehen Sie / Geh dort zur Haltestelle. 4. Fahren Sie / Fahr drei Stationen. 5. Fahren Sie / Fahr direkt zum Bahnhof. 6. Steigen Sie / Steig am Bahnhof aus.

3a 2. Ilona fährt mit dem Bus zur Schule. 3. Nach dem Frühstück lese ich die Zeitung. 4. In der Nähe vom Net-Café ist eine Haltestelle. 5. Mit dem Fahrrad fahren Sie fünf Minuten. 6. Wir sind um 16 Uhr am Rathaus. 7. Das Ticket kaufst du am Automaten. 8. Sie fährt mit dem Zug nach Berlin.

3b 2. Gemüse kaufe ich immer auf dem Markt. 3. Du gehst drei Minuten zur Haltestelle. 4. Das Kino ist am Bahnhof. 5. Nach dem Unterricht gehen wir zum Markt. 6. Um acht geht Herr Rau zur Arbeit. 7. Am Mittwoch fährt Max immer mit dem Bus. 8. Der Unterricht beginnt immer um acht Uhr. 9. Welcher Bus fährt zum Schwimmbad?

3c

Singular	Maskulinum	Neutrum
Nominativ	der/(k)ein Bus	das/(k)ein Café
Akkusativ	den/(k)einen Bus	das/(k)ein Café
Dativ	dem/(k)einem Bus	dem/(k)einem Café

Singular	Femininum
Nominativ	die/(k)eine Kirche
Akkusativ	die/(k)eine Kirche
Dativ	der/(k)einer Kirche

Plural	Maskulinum	Neutrum
Nominativ	die/keine Busse	die/keine Cafés
Akkusativ	die/keine Busse	die/keine Cafés
Dativ	den/keinen Bussen	den/keinen Cafés

Plural	Femininum
Nominativ	die/keine Kirchen
Akkusativ	die/keine Kirchen
Dativ	den/keinen Kirchen

3d 1. Fahren Sie mit der Linie 2. 2. Haben Sie einen Netzplan? 3. Am Bahnhof gibt es kein Internetcafé. 4. Das Ishara-Bad ist ganz in der Nähe. 5. Ich fahre immer mit der Straßenbahn in die Stadt.

4a 2. ein Konto eröffnen – Sie eröffnet ein Konto. 3. in der Kantine essen – Sie isst in der Kantine. 4. eine Kollegin treffen – Sie trifft eine Kollegin. 5. die Miete überweisen – Sie überweist die Miete. 6. eine Monatskarte kaufen – Sie kauft eine Monatskarte. 7. zur Sparkasse gehen – Sie geht zur Sparkasse. 8. den Familiennamen buchstabieren – Sie buchstabiert den Familiennamen.

4b Herr Franke hat eine neue Arbeitsstelle. Um zehn Uhr dreißig hat er einen Termin im Personalbüro. Dort füllt er den Personalbogen aus. Er geht in sein Büro und begrüßt die Kollegen. Er geht mit seinen Kollegen in die Kantine zum Mittagessen. In drei Wochen beginnt er seine Arbeit in der Firma.

4c das Haus – die Häuser, das Kind – die Kinder, die Hausnummer – die Hausnummern, die Stunde – die Stunden, der Kuli – die Kulis, das Heft – die Hefte, die Nähmaschine – die Nähmaschinen, der Staubsauger – die Staubsauger, das Fahrrad – die Fahrräder, das Auto – die Autos, der Kochtopf – die Kochtöpfe, die Tasse – die Tassen, das Büro – die Büros, das Kino – die Kinos, die Flasche – die Flaschen, das Glas – die Gläser, der Teller – die Teller, die Gabel – die Gabeln, die Vorspeise – die Vorspeisen, der Salat – die Salate

5 Beispiele:
Orte in der Stadt: der Bahnhof, das Hotel, die Jugendherberge, die Sparkasse, das Zentrum
Verkehr: die Ampel, die Bahn, die Station, ankommen, aussteigen, halten, geradeaus
Arbeit/Firma: das Formular, das Gehalt

Kapitel 8

1a „Wohnen": der Altbau, das Apartment, das Bad, der Balkon, die Dusche, der Garten, das Haus, die Kaution, die Küche, die Miete, die Nebenkosten, der Neubau, der Parkplatz, das Schlafzimmer, die Toilette, das Wohnzimmer
„Stadt": die Ampel, das Auto, der Bus, das Einkaufszentrum, die Haltestelle, die Kreuzung, der Parkplatz, der Platz, das Rathaus, die S-Bahn, die Schule, der Spielplatz, die Straße, die Straßenbahn, das Zentrum

1b 1. Ich brauche einen Parkplatz. 2. Ich will eine Wohnung im Zentrum haben. 3. Ich kann 500 Euro Miete bezahlen. 4. Ich brauche Sportmöglichkeiten in der Nähe. 5. Ich möchte eine Wohnung mit Balkon. 6. Die Küche muss nicht sehr groß sein.

2 1. Lucia Paoletti ist 25 Jahre alt. Sie macht ein Praktikum bei RTL in Köln. Zurzeit wohnt sie bei Freunden, aber sie sucht ein Zimmer. Lucia hat nicht viel Geld, aber sie hat ein Stipendium von 500 Euro im Monat und ihr Vater gibt ihr auch noch 100 Euro monatlich.

2. Ulrike und Bernd Klotz suchen eine größere Wohnung, denn bald kommt das dritte Kind. Herr Klotz verdient ungefähr 1900 Euro im Monat.
3. Güven Toluk ist Ingenieur und arbeitet seit zwei Jahren in Köln. Seine Frau ist Lehrerin. Sie unterrichtet 12 Stunden in der Woche. Sie möchte gerne mehr arbeiten. Die zwei suchen eine Wohnung für ungefähr 500 bis 600 Euro im Monat.

3a

ich	will	kann
du	willst	kannst
er/es/sie	will	kann
wir	wollen	können
ihr	wollt	könnt
sie/Sie	wollen	können

1. Ich will eine neue Wohnung. 2. Er kann nur 500 € bezahlen. 3. Willst du morgen wegfahren? 4. Nein, ich kann nicht. 5. Können Sie sofort einziehen? 6. Ihr könnt bei mir wohnen. 7. Wann wollen Sie umziehen?

3b 2. Können Sie mir bitte die Zeitung geben? 3. Ich will mir morgen eine Wohung ansehen. 4. Kann man auch in den Garten gehen? 5. Ihr könnt doch nicht 700 Euro Miete zahlen.

4 1. Ich möchte eine große Wohnung mieten, aber ich habe kein Geld. 2. Wir brauchen eine neue Wohnung, denn wir bekommen ein Kind. 3. Willst du in der Stadt suchen oder willst du lieber am Stadtrand suchen? 4. Die Wohnung muss ruhig sein, aber es muss eine Haltestelle in der Nähe sein.

5a 2. Silke hat den Mietvertrag schon unterschrieben. 3. Die Bollmanns haben ein Haus gekauft. 4. Ich habe die Kisten noch nicht gepackt. 5. Ich habe Spaghetti mit Tomatensoße gegessen. 6. Und wie hast du die erste Nacht geschlafen? 7. Ich habe drei Monatsmieten Kaution bezahlt. 8. Carla hat eine Wohnung gefunden. 9. Hast du sie schon mal besucht? 10. Sie hat mir ihre Adresse leider nicht gegeben. 11. Wir haben Pizza fürs Abendessen mitgebracht. 12. Ich habe den ganzen Tag noch nichts getrunken. 13. Ich habe alle meine Freunde zur Party eingeladen.

5b 1. Lucia hat die Sachen gepackt und ihre Freunde haben geholfen. 2. Gestern hat die Bäckerei erst um acht Uhr aufgemacht. 3. Wir haben vorgestern unser Auto verkauft. 4. Letzte Woche hat Lucia Spaghetti gekocht. Es hat super geschmeckt. 5. Habt ihr eine Wohnung gefunden? 6. Ich habe schon zwei Monate gesucht. 7. Ich habe gestern die Zeitung gelesen. Ich habe schon viel verstanden. 8. Ich habe Sie heute Morgen angerufen. 9. Frau Schütz hat letztes Wochenende Überstunden gemacht.

6a Liebe Rahel,
wie geht es dir? Du kannst uns gratulieren, denn wir haben eine neue Wohnung gefunden. Wir haben gestern den Mietvertrag unterschrieben und wir ziehen nächste Woche ein. Die letzten Tage waren wirklich Stress. Viele Freunde haben uns geholfen, aber es war sehr viel Arbeit: Wir haben alle Kartons gepackt, aus dem dritten Stock runtergetragen und dann in die neue Wohnung hochgetragen. Das neue Apartment ist toll. Es ist hell und groß. Wir haben jetzt vier Zimmer: ein Wohnzimmer, ein Schlafzimmer, ein Kinderzimmer und ein Arbeitszimmer. Leider ist die Küche etwas klein. Es ist ein Neubau. Im April feiern wir unser Fest mit allen Freunden. Willst du kommen? Du bist auf jeden Fall herzlich eingeladen.
Liebe Grüße
Selma

6b Beispiele:
Arbeitsplatz, Badewanne, Drei-Zimmer-Wohnung, Haltestelle, Kabelanschluss, Kabel-TV, Kindergruppe, Kinderzimmer, Mietvertrag, Monatsmiete, Nebenkosten, Neubau, Obergeschoss, Parkplatz, Schlafzimmer, Schreibtisch, Toningenieurin, Spielplatz, Sportmöglichkeit, Taxifahrerin, Untermiete, Wohnsituation, Wohnzimmer, Wohnungsanzeige, Wohnungssuche

6c 1. Ich habe ein Zimmer. Ich wohne zur Untermiete. 2. Wir suchen eine Drei-Zimmer-Wohnung. Wir brauchen ein Wohnzimmer, ein Schlafzimmer und ein Kinderzimmer. 3. Ich habe gestern den Mietvertrag für meine Wohnung unterschrieben. 4. Die Miete ist günstig (400 €), aber die Nebenkosten sind hoch, fast 200 €. 5. Mein Beruf ist Taxifahrerin. Ich sitze viel im Auto. 6. Ich habe ein Auto. Jeden Abend suche ich einen Parkplatz.

7 Beispiele:
1. das Auto beachten, benutzen, mieten, reinigen 2. die Umzugskartons benutzen, mieten, packen, tragen 3. eine Wohnung benutzen, mieten, reinigen, vermieten 4. die Miete bezahlen 5. den Vermieter informieren 6. den Mietvertrag beachten, unterschreiben 7. die Wäsche packen, reinigen, tragen, trocknen

8 1. Wohnzimmer 2. Vermieter 3. Nebenkosten 4. WC

Kapitel 9

1a 5a, 3b, 1c, 4d, 6e, 2f

1b Wir haben ein Picknick gemacht. Am Samstag habe ich lange geschlafen. Ich bin um elf aufgestanden und vor dem Frühstück bin ich ins Schwimmbad gegangen. Danach habe ich eingekauft und bin mit dem Fahrrad zu meiner Freundin gefahren. Am Nachmittag haben wir einen Ausflug gemacht. Wir sind mit dem Fahrrad zum See gefahren und dort haben wir ein Picknick gemacht. Das machen wir oft. Gestern hat meine Freundin das Picknick vorbereitet und am nächsten Wochenende mache ich das. Das Wetter war super und wir sind erst abends wieder nach Hause gefahren.

1c 1. Wir haben ganz spontan Freunde in Hamburg besucht. 2. Ich habe am Wochenende Kuchen gebacken. 3. Alle Eltern haben etwas mitgebracht. 4. Maria hatte Geburtstag und hat eine Party gemacht. 5. Wir haben mit unseren Kindern im Kindergarten gearbeitet. 6. Ich habe eine halbe Stunde an der Haltestelle gewartet. 7. Ich war mit meiner Freundin in der Stadt einkaufen. 8. Wir haben mit der Familie einen Ausflug nach Leipzig gemacht. 9. Mein Vater ist gestern Abend ins Krankenhaus gekommen.

2a

	sein	haben	
2.	x		sie ist weggegangen
3.		x	sie hat geputzt
4.	x		sie ist aufgestanden
5.	x		sie ist eingeschlafen
6.		x	sie hat angerufen
7.		x	sie hat ferngesehen
8.		x	sie hat gewählt
9.		x	sie hat gearbeitet
10.	x		sie ist gekommen
11.		x	sie hat geholt
12.	x		sie ist gefahren

2b 1. Gestern nacht bin ich um drei Uhr aufgewacht. 2. Ich habe zwei Stunden gelesen. 3. Um fünf Uhr bin ich wieder eingeschlafen. 4. Der Wecker hat um sechs Uhr geklingelt. 5. Ich bin nicht aufgewacht. 6. Ich habe verschlafen. 7. Ich bin zwei Stunden zu spät ins Büro gekommen. 8. Ich bin bis 19 Uhr im Büro geblieben.

2c geschlafen, gekauft, verkauft, angerufen, besucht

2d Beispiele:
anordnen, anmachen, anhören, anhängen
aufräumen, aufmachen, aufstehen, aufholen
ausmachen, aussehen, ausschlafen, ausfüllen
einordnen, einhängen, einkaufen, einschlafen
mitmachen, mithören, mitschreiben, mitbringen
nachmachen, nachfragen, nachsehen, nachfüllen
vormachen, vorschreiben, vorlesen
wegräumen, wegbringen, wegholen
zuordnen, zumachen, zuhören, zusehen

2e Lieber Bernardo,
vor zwei Monaten bin ich in Köln angekommen und wohne bei meiner Schwester. Nein, ich habe 6 Wochen bei Martha gewohnt! Denn jetzt habe ich ein Zimmer in einem Studentenwohnheim gefunden. Vor zwei Wochen haben wir den Umzug gemacht. Das war nicht viel Arbeit, denn das Zimmer ist möbliert. Ich habe schon viele Leute kennengelernt und habe sehr nette Nachbarn. Wir kochen oft gemeinsam und am Wochenende haben wir abends eine Party gemacht. Ich habe natürlich Pizza gebacken, mit dem Rezept von meiner Großmutter. Das funktioniert immer! Wir haben den ganzen Nachmittag gekocht und alles vorbereitet. Es war super. Gestern war ich in der Universität und habe mich angemeldet: Puhhh! Ich habe so viele Formulare ausgefüllt und mein Terminkalender ist ganz voll! Jetzt habe ich meinen Ausweis und bin Studentin an der Universität Hamburg!
Bis bald und viele Grüße
Regina

3a Vorname: Kada
geboren: 1975
Geburtsort: Banja Luka, Bosnien
Eltern: Sabid und Selda Omeragic
Schulbildung: Grundschule von 1981 bis 1984, Realschule von 1984 bis 1990
Berufsausbildung: Ausbildung als Buchhalterin
Beruf: Sachbearbeiterin bei einer Versicherung
Arbeitsstelle: Iduna Versicherung, Magdeburg
Sprachkenntnisse: Bosnisch, Französisch, Deutsch
Hobbys: Sport, Fotografieren, Computer

3b Ich heiße Kada Omeragic. Ich bin im Jahr 1975 in Banja Luka, in Bosnien geboren. Damals war das noch Jugoslawien. Meine Mutter war Hausfrau und mein Vater war Lehrer. Ich habe zwei Geschwister: eine Schwester und einen Bruder. 1981 bin ich in die Schule gekommen. Nach meiner Schulausbildung sind wir nach Sarajewo gezogen. Da habe ich dann meine Berufsausbildung zur Buchhalterin gemacht. Danach habe ich fünf Jahre in einem Kaufhaus gearbeitet. Dann habe ich eine Ausbildung zur Versicherungskauffrau gemacht. 2003 sind wir nach Deutschland gekommen. Zuerst habe ich nicht gearbeitet. Es war verboten. Dann habe ich drei Jahre in einer Gärtnerei gearbeitet. In den ersten Jahren habe ich nur wenig Deutsch gelernt. Aber dann habe ich einen Sprachkurs an der Volkshochschule in Mannheim gemacht.

4 Beispiele:
Unfall: das Krankenhaus, der Krankenwagen, passieren
Arbeit/Ausbildung: die Arbeitsstelle, der/die Angestellte, der Beruf, der Lehrgang, die Schulbildung, die Umschulung, korrigieren, putzen
Familie: der Geburtsort, der Kindergarten
Freizeit: der Ausflug, das Picknick, der Urlaub, backen, renovieren, singen

5 1. Sie geht jetzt in den Kindergarten. 2. Dann machen wir ein Picknick. 3. Da brauche ich keinen Wecker. 4. Der Krankenwagen hat mich abgeholt und ins Krankenhaus gebracht. 5. Ich mache gerade eine Umschulung. Der Lehrgang dauert ein Jahr.

Kapitel 10

1a Beispiele:
1. Buchhalter/in: zählen, Geld, Abrechnung
2. Elektriker/in: reparieren, Waschmaschine, Lampe
3. Fahrer/in: fahren, Auto, Bus
4. Ingenieur/in: beraten, reparieren, Internet
5. Kassierer/in: zählen, Supermarkt, Geld, verkaufen
6. Kraftfahrzeugmechaniker/in: reparieren, pflegen, Auto, Bus
7. Sekretär/in: telefonieren, Internet, Drucker, Scanner
8. Raumpfleger/in: pflegen, Waschmaschine, Staubsauger, putzen

1b 2. Verkäuferin 3. putze 4. langweilig 5. arbeitslos 6. Zeitarbeitsfirma 7. Bezahlung 8. die Stunde 9. von 16 Uhr bis 20 Uhr 10. Dort 11. nicht mehr 12. hierbleiben 13. Tochter 14. Supermarkt 15. arbeiten

1c 2. Die Arbeit macht Spaß und ist interessant. 3. Manchmal hat sie am Wochenende Bereitschaftsdienst. 4. Bei Computerproblemen muss sie in die Firma fahren. 5. Herr Peneda fährt oft auf eine neue Baustelle. 6. Er lernt immer neue Kollegen kennen. 7. Im Sommer steht er gerne früh auf. 8. In fünf Jahren will er eine eigene Firma haben.

2a

ich	muss	kann	will	möchte
du	musst	kannst	willst	möchtest
er/es/sie	muss	kann	will	möchte
wir	müssen	können	wollen	möchten
ihr	müsst	könnt	wollt	möchtet
sie/Sie	müssen	können	wollen	möchten

2b 2. kann 3. möchte 4. können 5. Musst 6. Möchten – möchte 7. muss 8. will 9. kann 10. Kannst

2c 2. Sie <u>kann</u> um zehn Uhr in die Firma <u>kommen</u>. 3. Sie <u>muss</u> immer ein Handy <u>dabeihaben</u>. 4. Herr Peneda <u>möchte</u> bald seine Meisterprüfung <u>machen</u>. 5. Manchmal <u>muss</u> er Überstunden <u>machen</u>. 6. In fünf Jahren <u>will</u> er eine eigene Firma <u>haben</u>.

2d 3a, 8b, 2c, 7d, 5e, 1f, 4g, 6h

2e 2. Der Kiosk macht auch samstags um fünf Uhr auf. 3. Ich muss heute nach der Arbeit einkaufen. 4. Kommt ihr mit ins Kino? 5. Supermärkte machen in Deutschland um 20 Uhr zu. 6. Frau Pirk hat meinen Computer repariert. 7. Wir haben heute 10 Stunden gearbeitet. 8. Herr Klose ist heute um fünf aufgestanden. 9. Wann bist du umgezogen? 10. Habt ihr am Wochenende gearbeitet?

3a Lieber Klaus,
wie geht es dir? Mir geht es leider nicht so gut, denn ich habe große Probleme. Ich habe immer noch keine richtige Arbeit, aber ich suche weiter. Zurzeit arbeite ich bei einer Firma als Bürohelferin. Jeden Morgen muss ich um 7.30 Uhr anfangen. Ich fahre mit dem Fahrrad zur Arbeit. Die Frühstückspause ist nur 15 Minuten lang. Es gibt keine Kantine und auch keinen Kaffeeautomaten. Die Arbeit ist nicht anstrengend, aber langweilig. Ich sitze acht Stunden am Schreibtisch und bin nur im Büro!
Hier arbeiten 20 Kollegen und Kolleginnen. Sie sind nett. Die Bezahlung ist natürlich schlecht: 1050 Euro im Monat. Am Samstag und am Sonntag muss ich nicht arbeiten, aber ich muss fast jeden Tag Überstunden machen.
Was macht dein Job? Macht dir deine Arbeit immer noch Spaß?
Liebe Grüße
Tina

3b 9a, 2b, 10c, 5d, 4e, 7f, 8g, 6h, 3i, 1j

4 Beispiele:
1. Team. 2. Formular 3. Lohnabrechnung
4. Überstunden 5. Führerschein 6. anstrengend
7. Stundenlohn 8. freundlich – angenehm
9. reparieren 10. Arbeitszeit

Kapitel 11

1 Waagerecht: 1. die Hand 2. der Rücken 3. der Hals 4. die Schulter 5. der Finger 6. das Auge 7. der Arm 8. die Zehe
Senkrecht: 9. der Bauch 10. das Ohr 11. die Nase 12. der Mund 13. das Bein 14. das Knie 15. das Haar

2a 1. Ich möchte einen Trainingsplan machen. 2. Warst du schon mal in einem Fitness-Studio? 3. Am Anfang ist immer ein Basisprogramm wichtig. 4. Sabine ist zu dick und möchte abnehmen. 5. Kannst du mir eine gute Übung für den Bauch zeigen? 6. Eine Diät ist gut, aber auch Sport ist wichtig. 7. Daniela joggt regelmäßig und trainiert für den „Hamburg-Marathon".

2b 2. Fahr / Fahren Sie viel Fahrrad. 3. Geh / Gehen Sie ins Fitness-Studio. 4. Nimm / Nehmen Sie gemeinsam mit Freunden ab. 5. Trink / Trinken Sie viel Wasser. 6. Geh / Gehen Sie viel spazieren. 7. Iss / Essen Sie viel Obst und Gemüse. 8. Sprich / Sprechen Sie mit deiner/Ihrer Hausärztin.

3a 1. den Rücken untersuchen, röntgen 2. die Zähne putzen, kontrollieren, untersuchen 3. Schmerzen haben 4. ein Rezept brauchen, schreiben 5. den Arm untersuchen, röntgen 6. Sport machen 7. Tabletten nehmen, kaufen, brauchen 8. eine Krankmeldung brauchen, schreiben

3b

Patient/Patientin:	Arzt/Ärztin:
2. schlecht	1. Schmerzen
3. weh	2. schreibe
4. Fieber	3. Salbe
5. brauche	4. rauchen
	5. schlafen

3c 3a, 6b, 5c, 2d, 4e, 1f

4a

ich	soll	darf
du	sollst	darfst
er/es/sie	soll	darf
wir	sollen	dürfen
ihr	sollt	dürft
sie/Sie	sollen	dürfen

4b 1. Kannst du alleine gehen oder soll ich dir helfen? 2. Herr Schmidt hat gesagt, wir sollen dich zum Arzt bringen. 3. Frau Wiese ist gefallen, sie soll zum Röntgen. 4. Guten Tag, ich soll die Krankmeldung für meine Frau abholen. 5. Du sollst im Bett bleiben und viel Tee trinken.

4c 1. Darf – dürfen 2. muss – müssen 3. Dürfen – müsst

5 2. Esst bitte Salat. 3. Sprecht bitte höflich. 4. Lauft bitte nicht so schnell. 5. Macht bitte die Hausaufgaben. 6. Geht bitte in den Garten.

6a
● Praxis Dr. Bleiche, guten Tag.
○ Beckord, guten Tag. Ich brauche einen Termin.
● Zur Vorsorge?
○ Nein, ich habe Schmerzen, vor allem abends.
● Können Sie am Donnerstag? Um halb vier?
○ Geht es nicht früher?
● Hm, Sie können auch gleich kommen. Sie müssen aber vielleicht warten.
○ Gut, danke, dann komme ich lieber morgen.

6b
● Praxis Dr. Gebauer, guten Tag.
○ Luhmann, guten Tag. Ich habe heute einen Termin zur Vorsorge für meinen Sohn. Es tut mir leid, aber ich kann heute nicht kommen. Können wir den Termin verschieben?
● Natürlich! Wann können Sie denn kommen? Am Dienstagvormittag?
○ Ja, das passt gut.

6c 2. Ja. 3. Doch. 4. Ja, ich gehe regelmäßig joggen. 5. Doch, zwei Tassen.

Kapitel 12

1a ankommen, die Ankunft, der Ausflug, aussteigen, der Ausweis, der Bahnhof, das Doppelzimmer, die Durchsage, einsteigen, das Einzelzimmer, der Fahrplan, fliegen, der Flughafen, das Flugzeug, das Gepäck, die Halbpension, die Haltestelle, das Hotel, die Jugendherberge, der Koffer, der Prospekt, das Reisebüro, der Reiseführer, der Rucksack, die Tasche, die Touristeninformation, die Übernachtung, umsteigen

2 2. Sie geht in den See. 3. Er geht ins Museum. 4. Sie fährt ans Meer. 5. Er geht ins Kino. 6. Er geht an den Tisch. 7. Sie geht in den Wald. 8. Er geht ins Konzert. 9. Sie geht an den Geldautomaten. 10. Er geht ins Theater.

3a

Nominativ	ich	du	er	es	sie
Akkusativ	mich	dich	ihn	es	sie

Nominativ	wir	ihr	sie	Sie
Akkusativ	uns	euch	sie	Sie

3b 3. du 4. mich 5. Ich 6. dich 7. Ich 8. ihn 9. Du 10. ihn 11. wir 12. Ich 13. sie 14. sie 15. Ich 16. euch 17. euch

4a 2. Ist der Zug pünktlich abgefahren? 3. Sind Sie mit dem ICE gekommen? 4. Was hat das gekostet? 5. Wo haben Sie gesessen? 6. Sind Sie am Sonntag gefahren? 7. Haben Sie Ihre Reise im Mai gebucht?

4b

1. 2.: am ersten Zweiten
7. 3.: am siebten Dritten
13. 5.: am dreizehnten Fünften
16. 6.: am sechzehnten Sechsten
28.2.: am achtundzwanzigsten Zweiten
22.3.: am zweiundzwanzigsten Dritten
19.6.: am neunzehnten Sechsten
20. 7.: am zwanzigsten Siebten
31. 8.: am einunddreißigsten Achten
27. 9.: am siebenundzwanzigsten Neunten
29. 11.: am neunundzwanzigsten Elften
24. 12.: am vierundzwanzigsten Zwölften
15.7.: am fünfzehnten Siebten
17.8.: am siebzehnten Achten
30.12.: am dreißigsten Zwölften

4c
- ● Guten Tag, ich möchte eine Fahrkarte von Würzburg nach Heidelberg.
- ○ Wann möchten Sie denn fahren?
- ● Am 3. August.
- ○ Einfach oder hin und zurück?
- ● Mit Rückfahrkarte bitte.
- ○ Haben Sie eine Bahncard?
- ● Nein.
- ○ Um wie viel Uhr möchten Sie fahren?
- ● Morgens, gegen neun.
- ○ Dann können Sie den Intercityexpress um 9 Uhr 30 nehmen.
- ● Gibt es noch eine andere Verbindung?
- ○ Um 9.35 Uhr fährt ein Regionalexpress. Da müssen Sie aber dreimal umsteigen und brauchen fast 50 Minunten länger.
- ● Dann nehme ich lieber den ICE.
- ○ Möchten Sie einen Sitzplatz reservieren?
- ● Ja bitte.
- ○ 1. oder 2. Klasse?
- ● 2. Klasse.
- ○ Und wo möchten Sie sitzen? Am Fenster oder am Gang?
- ● Am Fenster.

5a 2. im 3. hinter/neben 4. unter/neben 5. Vor/Neben – mit 6. für 7. neben/hinter 8. in

6a 1. Es ist Sommer. 2. Die Sonne scheint. 3. Das Wetter ist schön. 4. Es ist nass.

6b Lieber Georg,
herzliche Grüße von der Zugspitze! Das Wetter ist sehr schön hier oben. Die Sonne scheint. Es ist warm, na ja, 15 Grad, aber immerhin! Man hat einen tollen Blick. Wir haben richtig Glück. Gestern war es hier noch kühl/kalt und windig. Das Wetter war richtig schlecht. Es war kalt (0 Grad) und es hat sogar geschneit.
Morgen fahren wir weiter nach München.
Liebe Grüße
Swenja

Quellen

Alle Fotos, die im Folgenden nicht aufgeführt sind: Vanessa Daly

S. 5: Foto links: Annalisa Scarpa-Diewald, Foto rechts: fotolia, Vitalij Lang
S. 6: Weltkarte: M. Frank
S. 19: Foto: Daniela Pöder
S. 34: Foto: Kirsten Mannich
S. 36: Fotos 1, 2, 4–6, 8: wikimedia, Foto 3: Shutterstock.com, Jozef Sedmak, Foto 7: akg-images
S. 42: Foto oben: fotolia, Claudia Paulussen
S. 51: Foto: Lutz Rohrmann
S. 52: Foto: fotolia, Vadim Andrushchenko
S. 55 Foto: Langenscheidt Archiv
S. 66: Foto: Christiane Lemcke
S. 72: Foto: Lutz Rohrmann
S. 73: Foto: fotolia, ArnLay
S. 75: Foto: Susan Kaufmann